Die Hafenfähre
schippert über die Elbe.
Omi Olga
weiß immer, was zu tun ist.
Fischbrötchen
gibt es auf dem Fischmarkt.
Viele Bücher
machen schlau. Hoffentlich!

Susanne Fülscher

Mia und der Zahnspangenprinz

Mias Abenteuer:

Band 1 Mia legt los!
Band 2 Mia und das Mädchen vom anderen Stern
Band 3 Mia und der Traumprinz für Omi
Band 4 Mia und das Liebeskuddelmuddel
Band 5 Mia und der Großstadtdschungel
Band 6 Mia und das Schwesterndings
Band 7 Mia fast allein zu Haus
Band 8 Mia und die mega-giga-irre Klassenfahrt
Band 9 Mia und der Zahnspangenprinz
Band 10 erscheint im Frühjahr 2017

Maman-wadüh!

In meinem Kopf tobt ein Sturm. Mir ist bibberkalt, meine Ohren glühen und zwischen meinen Zehen kribbelt es, als hätte sich dort eine Ameisenfamilie einquartiert.
Ich atme tief durch und zähle langsam rückwärts. „Hundert, neunundneunzig, achtundneunzig, sechsundachtzig …"
Jette rempelt mich an und kichert. „Du hast dich verzählt, Mia."
„Hab ich? Echt?"
Aus ihrem Gekicher wird Gegacker. „Seit wann kommt denn nach achtundneunzig sechsundachtzig?"
„Jette, ich überleb das hier nicht!", stoße ich hervor und klammere mich an ihrem Arm fest. Dummerweise habe ich auch noch ziemlich fiese Wackelpuddingbeine.
„Ich bin doch bei dir, Miss Butterfly", flüstert Jette mir zu. „Da kann dir gar nichts passieren."
Und ob! Ich könnte ohnmächtig werden, einen Kreischanfall bekommen oder auf einen Schlag um siebzig

Jahre altern. Dann wäre mein mausbraunes Haar plötzlich grau, mein Gesicht megarunzelig und mein schöner Schmetterlingsgürtel hätte sich wahrscheinlich in seine Bestandteile aufgelöst, wenn der süße Zahnspangenfranzose Jean-Pierre gleich aufkreuzt.

Vor etwa fünf Minuten sind wir – meine beste Freundin Jette, Papi, meine kleine Schwester Lena und Omi Olga – am Hamburger Hauptbahnhof eingetrudelt. Jetzt warten wir auf den Zug aus Paris. Das heißt, Lena und Omi sind erst mal eine Toilette suchen gegangen und mein Vater studiert den Fahrplan an der großen Tafel, als wolle er ihn auswendig lernen. Mami, meine Babyschwester Josefinchen und mein großer Bruder Lukas mussten zu Hause bleiben. Weil wir nicht alle ins Auto passen, wenn wir gleich Jean-Pierre einladen. Eine Person ist zwar immer noch zu viel, aber Papi meinte, Jette und ich seien ja dünn wie Bohnenstangen, das würde schon irgendwie gehen.

Der süße Zahnspangenfranzose kommt aus Paris. Jette und ich haben ihn mal in einem piekfeinen Hotel in Berlin kennengelernt, wo er als Page gejobbt hat. Seine Eltern hatten ihn dazu verdonnert, weil er an seiner Schule ein paar Dummheiten angestellt hatte. Wir fanden ihn damals ziemlich nett und toll und süß (besonders ich!). Und als er längst wieder in Frankreich war, haben Jean-Pierre und ich uns ab und zu noch gemailt. Jetzt kommt er für zwei Wochen zum

Schüleraustausch in meine Familie. Das ist so megagiga-irre aufregend, dass es von Sekunde zu Sekunde heftiger in meinem Kopf stürmt.

Wenn ich an Jean-Pierre denke, sehe ich ihn mit seinen Wuschellocken und in seiner Pagenuniform vor mir. Seine Zahnspange blinkt und blitzt beim Lachen und er hält älteren Damen (aber auch Jette und mir) höflich die Tür auf. Dass er für die nächsten vierzehn Tage bei uns wohnen wird, fühlt sich im Moment noch ganz komisch an. Denn das bedeutet ja auch, dass er mit bei uns am Tisch sitzt und isst, dass er bei uns duscht, aufs Klo geht und abends mit auf dem Sofa sitzt. Er wird vierundzwanzig Stunden am Tag bei uns sein!

Hoffentlich habe ich nirgends einen Pickel, denke ich gerade, als Omi in einer schreigelben Tunika über den Bahnsteig geflattert kommt, an ihrer Seite meine kleine Schwester Lena.

„*Mon dieu*, der Zug hat eine halbe Stunde Verspätung!“, tiriliert sie.

Mon dieu heißt so viel wie *Mein Gott!* oder *Ach, du meine Güte!*. Keine Ahnung, seit wann Omi Französisch kann. In der Schule hatte sie doch nur Englisch. Wahrscheinlich hat sie heimlich geübt.

„Wie blöd“, jault Lena. „Ich will endlich wissen, wie Jean-Pierre aussieht.“

„Französisch“, erkläre ich. Dass er auch noch supersüß ist, muss ich ihr ja nicht auf die Nase binden.

Ich bin ziemlich froh über die Verspätung. Vielleicht legt sich bis dahin ja der Sturm in meinem Kopf, die Ameisen treten den Rückzug an und auch die Wackelpuddingbeine verschwinden.
„Ich wette, er ist der hübscheste Franzose weit und breit." Omi lacht und zeigt dabei ihre blitzweißen Zähne. „Abgesehen von Gérard natürlich. Hab ich euch eigentlich mal von Gérard erzählt?"
„Nee, Omi?" In Lenas Augen stehen hundert Fragezeichen.
„Nein, Frau Hansen?", überbietet Jette sie mit tausend Fragezeichen in den Augen.
Und auch Papi, der wieder zu uns rüberkommt, schüttelt den Kopf.
Alle drei sehen Omi Olga gespannt an, nur mich interessiert im Moment nicht so brennend, was es mit diesem Gérard auf sich hat. Bestimmt geht es um einen prickelnden Flirt unter französischer Sonne, der sich irgendwann im letzten Jahrhundert zugetragen hat. Ich freue mich einfach, dass Omi in der Jetztzeit mit meinem Mathenachhilfelehrer Diego Kranfelder zusammen ist; Genaueres will ich zu dem Thema *Omi und die Liebe* gar nicht wissen.
„Gérard habe ich als junges Mädchen kennengelernt", sagt sie prompt. „Damals sind meine Freundin Ursel und ich …"
Ich höre vorsichtshalber bloß mit halbem Ohr hin, krie-

ge aber trotzdem mit, dass es eine wunderschöne Liebesgeschichte unter südfranzösischer Sonne war (alles klar) und dass der Franzose so ein herrlich melodisches Französisch gesprochen hatte (noch mal alles klar!).
„Und soll ich euch was sagen?", kommt Omi Olga zum Ende. „Ich bin felsenfest davon überzeugt, dass die Franzosen die Liebe erfunden haben."
„Echt jetzt?", fragt Jette interessiert.
Auch Lena, die ja wohl hoffentlich noch nichts mit Liebe im Sinn hat, bekommt Stielaugen. Als würde sie sich im Geiste ausmalen, wie es ist, später mal einen Franzosen (der ja die Liebe erfunden hat) kennenzulernen. Dabei fällt mir siedend heiß etwas ein: Vor Urzeiten habe ich in mein Tagebuch geschrieben, dass ich mal einen Franzosen küssen möchte. Mr Rülps aus meiner Klasse hat damals in meinem Tagebuch geschnüffelt und den Satz mit dem Franzosen vor allen Mitschülern vorgelesen. Dabei hatte ich ihn nur so hingekritzelt und *mal* heißt eben *mal* und nicht *jetzt sofort* oder *demnächst*.
Jette scheint sich genau in diesem Moment ebenfalls daran zu erinnern.
„Weißt du noch?", flüstert sie mir spuckig ins Ohr. „Dein Tagebuch?" Sie verdreht die Augen und kichert schlimmer als Omis Kicherfreundinnen.
„Sag's ja nicht!"
„Was soll Jette nicht sagen?", will Lena wissen.

„Nichts!"
„Das wüsste ich jetzt aber auch gern mal", meint Omi Olga.
„Omi!" Ich stemme die Hände in die Hüften und fletsche wie ein Pitbull die Zähne. Zum Glück hält sie daraufhin den Mund.
Jette und ich vertreiben uns die Zeit damit, den Bahnsteig auf und ab zu laufen und wildfremde Leute zu benoten. Das lenkt mich ein wenig davon ab, dass so ein weltbewegendes Ereignis wie die Ankunft des süßen Zahnspangenfranzosen bevorsteht. Ich gebe einem Lackaffen-Mann eine Drei minus, einer Frau mit Plusterfrisur (sie erinnert mich an Jettes Mutter) eine Eins, Jette verteilt lauter Sechsen an eine Gruppe Bier trinkender Jugendlicher – und endlich ist es so weit.
Erst gleitet die schnauzenförmige Lok in den Bahnhof, dann fliegen die Waggons an uns vorbei. Mein Kopf geht wie beim Pingpong hin und her, aber natürlich kann ich niemanden hinter den getönten Scheiben erkennen. Kurz darauf kommt der Zug zum Stehen.
„Wo ist er denn? Wo ist er denn? Wo ist er denn?", kreischt mir Jette ins Ohr.
Gerade sind die Türen aufgegangen und die ersten Reisenden steigen aus.
Mein Herz hämmert. Die Ameisen sind plötzlich überall. Und in meinem Kopf braust ein richtig heftiger Orkan.

„Ja, wo ist er denn?“ Lena springt neben mir wie ein Flummi in die Luft. „Mia, sag doch mal!“
Als auch noch Omi losquietscht und wissen will, wo denn nun der süße kleine Franzose steckt, flüchte ich mich zu Papi. Der sagt zum Glück nichts. Er hält nur ganz normal nach dem *süßen kleinen Franzosen* Ausschau, was er, weil er ja der Größte von uns allen ist, auch am besten kann.
Seine Hand schnellt vor. „Da! Ich glaub, da ist er!“
Wer?, hätte ich fast gefragt. Einfach, weil es sich so unwirklich anfühlt, hier zu stehen und auf den Zahnspangenfranzosen zu warten.
„Hat er dunkle längere Locken?“, fragt Papi.
Ich gucke in die Richtung, in die sein ausgestreckter Zeigefinger deutet, kann aber niemanden im Gewühl entdecken, der wie Jean-Pierre aussieht. Damals in Berlin hatte er kurze verwuschelte Locken. Allerdings ist seitdem ja auch einige Zeit vergangen. Wer weiß, ob er überhaupt noch Ähnlichkeit mit dem Franzosen aus dem Hotel hat? Vielleicht trägt er ja nicht mal mehr die Zahnspange.
„Miss Butterfly!“ Jette hüpft neben mir in die Luft. „Er kommt! Er kommt! ER KOMMT ECHT!“
Ein Rums geht durch meinen Magen, als Jean-Pierre sich in mein Blickfeld schiebt. Er ist es tatsächlich! Anders als im Hotel (dort hatte er eine Pagenuniform an) trägt er ein ganz normales blau-weiß geringeltes

T-Shirt zu einer ganz normalen Jeans. Mein Herz bleibt stehen. Gut, dass es gleich darauf wieder seinen Betrieb aufnimmt, sonst hätte ich Jean-Pierre gar nicht mehr lebend begrüßen können.

Er kommt näher, drängelt sich mit seinem Riesenrucksack durch die vielen Menschen hindurch und ich denke, dass nicht nur seine Haare gewachsen sind. Er selbst ist ebenfalls in die Höhe geschossen und die riesengroßen Turnschuhe an seinen Füßen sehen aus wie Boote. Er blickt sich suchend um, dann entdeckt er mich endlich und ein breites Zahnspangengrinsen huscht über sein Gesicht. Also doch! Er hat die Zahnspange noch!

Ein zweiter Rums geht durch meinen Magen, dann steht er auch schon vor mir.

„Äh, äh“, stottere ich.

„Bonjour“, sagt Jean-Pierre und grinst in die Runde.

Er sieht aus wie immer und irgendwie doch ganz anders. Wie in einer Turbomaschine älter geworden.

„*Salut*, Jean-Pierre. *Je suis* die Omi!“, tiriliert Omi Olga.

„Huhu, hi, hallihallo!“, kiekst Lena.

Jette kichert und haspelt etwas auf Französisch, das wohl *Comment vas-tu?*, also *Wie geht es dir?*, heißen soll, aber wie *Maman-wadüh?* klingt.

Und als ob das nicht schon alles peinlich genug wäre, stottere ich noch ein paar *Ähs* hinterher.

Nur Papi reicht dem Franzosen ganz normal die Hand und sagt: „Guten Tag, Jean-Pierre. Schön, dich kennenzulernen. Hattest du eine gute Reise?“
„*Oui*, ich bin ... *très bien* gefahren.“
O weh! Auch Jean-Pierre scheint ziemlich aufgeregt zu sein. Jedenfalls konnte er in Berlin fließend Deutsch. Oder hat er in der Zwischenzeit alles vergessen?
„Wie geht es Ihnen?“, fragt er und grinst in meine Richtung.
„Ich?“, frage ich.
„*Oui!*“ Er nickt.
Ach, du dicker Schmetterling, jetzt siezt er mich auch noch! Das hat er schon damals im Hotel getan. Angeblich, weil er dort alle Gäste gesiezt hat. Wenn man mich fragt, war er total durcheinander oder er hatte mich mit irgendeiner alten Dame verwechselt.
„Danke, mir geht es gut“, krächze ich, während Jette unterdrückt kichert.
„Kommt, lasst uns erst mal hier rausgehen“, sagt Papi. „Jean-Pierre, gib mir doch dein Gepäck.“
„Aber ... das ist nicht ...“, protestiert dieser noch, aber da hat Papi sich den Rucksack schon auf die Schulter geladen.
„Mannomann, der ist aber schwer! Was hast du denn da drin?“
„*Rien*, äh, nichts“, stammelt Jean-Pierre.
Wenn mich nicht alles täuscht, wird er ein bisschen rot.

„Vielleicht hat er ja eine Bank ausgeraubt. Und alle Goldbarren eingepackt.“ Omi sagt das so todernst, dass Jean-Pierre sie erschrocken anblickt.
„*Mais non!* Ich habe keine Bank ausgeraubt.“
„War doch nur Spaß, mein Herzchen.“
Jean-Pierre wird noch eine Spur röter und ich möchte vor lauter Scham am liebsten im Erdboden versinken. Wie kann Omi ihn nur *mein Herzchen* nennen? Was muss der jetzt bloß von ihr denken?
Doch es kommt noch schlimmer. Jetzt beugt sie sich zu mir rüber und flüstert in Mega-Lautstärke: „Das ist ja ein richtiger Zahnspangenprinz!“ Ich gucke auf meine Schuhe und wünsche, ich wäre gar nicht da.
Wir fahren die Rolltreppe hoch und schieben uns mit den anderen Reisenden aus dem Bahnhof. Jette, Lena und ich trotten hinter Papi, Omi und dem Franzosen her. Ehrlich gesagt bin ich ziemlich froh, dass Omi und Papi das Plapperprogramm bestreiten. Ich wüsste gar nichts zu sagen. Der Orkan in meinem Kopf hat sich zwar gelegt, aber er scheint auch alle Gehirnzellen weggefegt zu haben.
Das Wiedersehen mit Jean-Pierre habe ich mir jedenfalls anders vorgestellt. Romantischer. Mit einem prächtigen Regenbogen am Himmel, mit flatternden Schmetterlingen und fiedelnden Geigen. Doch von alldem ist nichts zu spüren. Es fühlt sich einfach nur komisch fremd an. Als wären Jette und ich niemals mit

Jean-Pierre in Berlin Currywurst essen gegangen. Als hätten wir uns auch nicht ständig angelächelt und uns schon gar keine Mails geschrieben.
Jette schleudert ihre blonde Glanzhaarmähne zurück und fragt mich leise, warum ich so finster gucke.
„Ich gucke finster?“
„Ja! Als wäre Jean-Pierre nicht Jean-Pierre, sondern der hinterletzte Grottenolm.“
Ich muss kichern. Vor einiger Zeit haben wir in Bio Fotos von Grottenolmen gesehen. Grottenolme sind Schwanzlurche, die dazu verdonnert sind, bis in alle Ewigkeit als Larvenform vor sich hin zu vegetieren. Und als ob das nicht schon schlimm genug wäre, sehen sie auch noch grottenhässlich aus. Glibberig, blassrosa und mit durchsichtigen Augen. Dagegen könnten Aale glatt noch die Wahl zur Miss Germany gewinnen.
„Mia, was gackerst du so?“, will Lena wissen. Klar, dass sie wieder mal ihre Lauscher aufgestellt hat. Es gibt wirklich niemanden, der neugieriger ist als meine kleine Schwester.
„Das geht dich gar nichts an.“ Ich schubse sie zu Papi rüber, der sie an die Hand nimmt. Zum Glück. Dann kann sie wenigstens nicht bei uns horchen.
„Jean-Pierre ist kein Grottenolm“, raune ich Jette zu.
„Aber?“
Ich zucke mit den Schultern. „Keine Ahnung. Er ist irgendwie … anders.“

Genau in dieser Sekunde dreht er sich nach uns um und lächelt sein süßes Zahnspangenlächeln. Ich lächele zurück und hoffe, dass ich nicht aussehe, als würde ich in eine Zitrone beißen.
„Verstehe ich nicht", sagt Jette. „Er ist doch kein bisschen anders als in Berlin. Er hat nur keine Pagenuniform an, seine Haare sind länger und ..."
„Seine Füße sehen aus wie die von einem Riesen", ergänze ich kraftlos.
Eigentlich weiß ich auch nicht so genau, was mit mir los ist. So irre lange habe ich diesem Moment entgegengefiebert und jetzt fühlt es sich an, als wäre ich im falschen Film gelandet. Mit einem französisch sprechenden Zahnspangenjungen als Hauptdarsteller. Ich gäbe einiges darum, in dieser Sekunde mit Jette und Jean-Pierre wieder in Berlin zu sein. Wir würden zu dritt lecker Currywurst essen gehen und uns ganz in Ruhe beschnuppern, ohne dass Omi, Papi und Lena die ganze Zeit um uns herumwuseln.
Als hätte Jette meine Gedanken erraten, sagt sie: „Du musst dich bloß erst mal daran gewöhnen, dass er jetzt hier ist. Dann wird schon alles gut."
Ich nicke tapfer. Alles wird gut. Ganz bestimmt wird alles gut!
Trotzdem bitte ich Jette, zum Abendbrot zu bleiben. Nur zur Sicherheit. Damit sie mein Händchen halten kann, falls ich mal einen Hänger habe oder falls

doch wieder ein schlimmer Orkan durch meinen Kopf braust.

Kurz darauf haben wir den Spießrutenlauf durch den Bahnhof hinter uns gebracht und steigen in unser Auto. Omi Olga thront in ihrer schreigelben Tunika vorne neben Papi. Jette, Lena, Jean-Pierre und ich quetschen uns nacheinander auf die Rückbank. Zuerst Jette, dann Lena und Jean-Pierre, ich zwänge mich als Letzte hinein.
Autsch! Schulterkontakt mit Jean-Pierre!
Das Gespräch während der Autofahrt läuft ungefähr so ab:
Papi: „Guck mal, Jean-Pierre, das weiße Gebäude auf der anderen Straßenseite ist das Schauspielhaus."
Omi Olga: „Die Schauspieler, die da auf der Bühne stehen, sind Weltklasse."
Jean-Pierre: „Ahhhhh!"
Jette: „Ahhhhh!"
Lena: „Echt? Mami hat doch gesagt ..."
Jean-Pierre, zu mir: *„Comment vas-tu?"*
Lena: „Also, Mami meint, dass die manchmal auch schlecht spielen."
Ich, zu Jean-Pierre: „Wie es mir geht?"

Jette beugt sich ein kleines Stück vor. „Ja, er will wissen, wie es dir geht."
Ich: „Ich … äh … gut … oder so."
Jean-Pierre: *„Très bien!"*
Lena: „Mia, was meinst du mit *oder so*? Entweder geht es dir gut oder nicht."
Omi Olga: „Wo Lena Recht hat, hat sie Recht."
Jean-Pierre nickt, als hätte er einen Wackelkontakt im Hals. *„Oui, oui."*
Wir geraten in einen Stau und kommen nur noch im Schritttempo voran.
Papi dreht sich zu uns um: „Hm, das kann dauern."
Ich: „Mist."
Jette: „Kack!"
Lena, kichernd: „Kackmist!"
Omi Olga: „Ganz schön blöd."
Papi: „Ja, das ist jetzt wirklich blöd."
Jean-Pierre sagt gar nichts.
Könnte ich zaubern, würde ich mich auf der Stelle entmaterialisieren. Jean-Pierre muss mich und meine Familie für die totalen Volltrottel halten. Für Grottenolme, die nicht mal in der Lage sind, eine halbwegs vernünftige Unterhaltung zu führen.
Hoffentlich können Mami, Lukas und Josefinchen noch was rausreißen. Bei Lukas bin ich mir zwar nicht so sicher, aber meine zuckersüße Babyschwester wird Jean-Pierres Herz bestimmt erobern.

Wo die Möwen kreischen

„Guck mal, Josefinchen, unser Besuch ist da!“ Mami steht mit meiner Minischwester auf dem Arm in der Tür, als wir die Treppe hochstiefeln. Papi bricht unter der Last des Rucksacks fast zusammen. Hoffentlich hat der süße Franzose nicht kiloweise Zahnspangen dabei.

„Bonjour, Madame An-sen“, flötet Jean-Pierre und verbeugt sich vor Mami wie vor einem Gast in einem 5-Sterne-Hotel.

„Wie schön, dass du endlich da bist!“, ruft Mami.

Ach, du dicker Schmetterling! Das klingt ja fast, als wäre Jean-Pierre ihr seit Jahrzehnten verschollener Geliebter.

„Das Vergnügen ist … äh … ganz meinerseits“, sagt Jean-Pierre allen Ernstes.

Jette wiehert los und auch ich muss mich zusammenreißen, um nicht loszuglucksen. Wahrscheinlich hat er den Spruch immer bei den älteren reichen Damen im Hotel sagen müssen und die waren dann so ent-

zückt, dass sie ihm ein großzügiges Trinkgeld gegeben haben.
Jean-Pierres Augen fangen an zu leuchten, als er sich vorbeugt und Josefines Miniaturhändchen streichelt.
„Du bist ja süß!“, säuselt er.
„Bröh“, macht Josefinchen und spuckt einen orangefarbenen Schwall Brei auf Jean-Pierres Shirt.
Keine Ahnung, ob der meine kleine Schwester jetzt immer noch so putzig findet. Jedenfalls zuckt er zurück. Mami haspelt eine Entschuldigung, drückt mir die Kleine in den Arm und flitzt in die Küche.
„Das macht Josefine öfter, wenn sie sich freut“, sage ich mit hochrotem Kopf. Das war natürlich geflunkert. Meine Minischwester spuckt ihren Brei gerne mal wieder aus. Einfach so.
Schon ist Mami wieder mit einem Feuchttuch zurück und wienert auf Jean-Pierres Ringel-T-Shirt herum. „Am besten ziehst du dich gleich um“, erklärt sie. „Und das T-Shirt stecken wir in die Wäsche.“
Jean-Pierre lächelt, aber er wirkt ein bisschen verkrampft. Ob er enttäuscht ist, dass wir nicht in einem Palast, sondern nur in einer stinknormalen Stadtwohnung leben? Oder dass meine Eltern stinknormale Leute sind und Josefinchen nichts Besseres zu tun hatte, als als Erstes sein T-Shirt zu bespucken? Vielleicht ist er ja auch angefressen, weil mein Bruder nicht mal gekommen ist, um ihn zu begrüßen.

„Lukas, wir sind da!“, ruft Papi wie aufs Stichwort und schlüpft aus seinen hässlichen Ökotretern. Die Hausschuhe, die er anzieht, sind allerdings auch kein bisschen hübscher.

Während Mami in die Küche eilt, um den Lappen zu entsorgen, steht Jean-Pierre einfach nur da und guckt abwechselnd den Fleck auf seinem T-Shirt und Papis Ökolatschen an. Eigentlich müsste ich mich jetzt mit ihm unterhalten, irgendetwas Lustiges oder Schlaues sagen, aber mir fällt weder ein Wort Deutsch noch ein Wort Französisch ein. Allerhöchstens noch das Fantasie-Chinesisch, das Josefinchen manchmal vor sich hin brabbelt.

„Kommst du jetzt bitte mal, Lukas?“ Papi klingt mit einem Mal richtig streng. „Jean-Pierre ist da!“

„Wetten, der lässt sich nicht blicken?“, raune ich Jette zu, die beim Thema Lukas glänzende Augen bekommen hat. Sie war vor einiger Zeit mal in meinen schönen Bruder mit den grünen Augen und den langen Klimperwimpern verschossen. Obwohl sie beteuert, dass das alles längst Schnee von gestern ist, glaube ich ihr nicht ganz. Dafür benimmt sie sich viel zu auffällig, wenn Lukas in der Nähe ist.

„Kwmmumm-brabra!“, trötet Josefinchen, dann sabbert sie mein Ohr an. Vielleicht soll es auch ein Kuss sein.

„Ist ja gut, Josefinchen!“

Ich beuge mich wieder zu Jette rüber. Papi zeigt Jean-Pierre nämlich gerade, wo er seine Jacke aufhängen und seine Schuhe hinstellen kann. Und Jette sieht so aus, als müsse sie mir dringend etwas sagen.
„Warum will Lukas ihn denn nicht begrüßen?“, fragt sie spuckig in mein Ohr. „Ist er denn gar nicht neugierig?“
Mein Blick geht zu Jean-Pierre, doch der ist ganz damit beschäftigt, die Schnürsenkel seiner Riesenturnschuhe zu entknoten.
„Er will nicht, dass ein anderer Junge mit in seinem Zimmer wohnt“, flüstere ich und ignoriere den Pups, den Josefinchen gerade gelassen hat.
„Was ist denn so schlimm daran?“, will Jette wissen. „Hat er etwa Angst, sich mit Französisch anzustecken?“
Ich kichere, da kommt Omi Olga aus dem Bad.
„Hm, hm“, macht sie und schnuppert in die Luft. „Das riecht ja ganz köstlich. Was gibt es denn zu essen?“
Äh, es riecht köstlich? Bemerkt sie denn gar nicht den Pupsgeruch?
Doch keiner antwortet ihr. „Andrea?“, ruft sie Richtung Küche. „Was gibt es denn Leckeres zu essen?“
Mami steckt ihren Kopf aus der Küche. „Französische Zwiebelsuppe.“ Sie lächelt Jean-Pierre Beifall heischend an, doch der verzieht nicht mal eine Miene. Das kann viele Gründe haben:

1. Er erlebt in unserer bescheidenen Wohnung gerade den totalen Kulturschock und muss sich erst mal sammeln.
2. Er findet uns alle mega-giga-irre abtörnend und muss sich erst mal sammeln.
3. Er denkt, dass er gerade einen Albtraum hat, aus dem er nicht aufwachen kann.

„Komm, Jean-Pierre“, erklärt Papi, „ich zeige dir jetzt dein Zimmer.“

„Oui, d'accord.“ Das sind die ersten Worte, die Jean-Pierre seit dem Josefinchen-Schlamassel von sich gegeben hat. Übersetzt heißt das *Ja, einverstanden.* Die Wendung hatten wir schon bei Frau Hübsch in Französisch.

„Kann ich mitkommen?“, fragt Jette mit besoffenem Lächeln, als Papi bereits den schweren Rucksack über den Flur hievt. Jean-Pierre plinkert einmal kurz in unsere Richtung, dann tapert er in Zeitlupe hinter Papi her.

„Darf ich, Miss Butterfly? Darf ich? Darf ich?“

Ihre schrille Stimme geht mir total auf die Nerven. Wie kann sie nur so doofe Fragen stellen? Natürlich darf sie mit. Sie ist doch meine beste Freundin. Manchmal gehen wir sogar gemeinsam aufs Klo.

Ich lade meine Babyschwester bei Omi ab, dann huschen wir zu Lukas' Zimmer rüber. Ups. Hier sieht es aus, als hätte eine Bombe eingeschlagen. Auf dem

Fußboden verstreut liegen gammelige Sportsachen, Bonbonpapier, Comics und Schulsachen – ein einziges Chaos. Mein Bruder gammelt mit seinem Handy auf dem Bett und hat Stöpsel in den Ohren.
„Sag mal, bist du schwerhörig, Lukas?“, donnert Papi.
Lukas reißt sich die Stöpsel aus den Ohren. „Häh? Wie?“
„Jean-Pierre ist da!“
Lukas guckt den süßen Zahnspangenfranzosen an und eine Sprechblase taucht über seinem Kopf auf. Darin steht: *Na und? Deswegen muss ich mich doch hier nicht zum Affen machen.*
„Willst du unseren Besuch vielleicht mal begrüßen?“
In der Sprechblase über Lukas' Kopf steht jetzt: *Äh, muss ich?*
Jean-Pierre lächelt immer weiter und sagt: *„Bonsoir, Lü-ka.“*
„Ich heiße nicht Lü-ka“, entgegnet mein Bruder. „Ich heiße Lukas.“
„Ah, oui! Lü-ka! Salut.“
Lukas hebt schlaff die Hand: „Hi.“
Jette nutzt den Moment, schleudert ihre Glanzhaare nach hinten und posaunt: „Huhu, Lukas!“
Plinker, plinker, plinker.
Lukas nickt in ihre Richtung und hebt die Hand ein zweites Mal. Diesmal noch eine Spur schlaffer als

eben. In der Sprechblase steht nun: *Kann Mia bitte mal den Weiberzoo aus meinem Zimmer entfernen? Und den Franzosen auch gleich wieder mitnehmen? Vielen lieben Dank auch.*
Papi deutet auf das Matratzenlager im hinteren Teil des Zimmers. Wenigstens dort ist es halbwegs ordentlich. „Da schläfst du, Jean-Pierre. Ist das in Ordnung so?"
Jean-Pierre nickt. „*Mais oui!* Das ist eine sehr schöne Bett."
„Matratze", widerspricht Lukas. „Das ist eine Matratze." Er klopft neben sich. „Das hier ist ein Bett."
„Lukas!", ermahnt Papi ihn, aber Jean-Pierre grinst, als würde er Lukas' Schroffheit irgendwie lustig finden. Echt komisch. Ich hätte an seiner Stelle wahrscheinlich längst losgeheult.
Papi tritt an Lukas' Schrank und macht ihn auf. „Hier kannst du deine Sachen reintun."
„Kann er nicht", sagt Lukas von seinem Stützpunkt auf dem Bett aus.
„Lukas, ich hab dir gesagt, du sollst ein Fach frei räumen!"
„Wieso denn? Der Franzose kann doch seine Sachen bei Mia mit in den Schrank packen. Er besucht ja auch nicht mich, sondern Mia."
Ich gucke zu Jean-Pierre rüber, der jetzt wie ein Häuflein Elend dasteht. Warum ist mein Bruder bloß so

gemein zu ihm? Ist es denn wirklich so schlimm, sein Zimmer zwei Wochen lang mit einem süßen Zahnspangenfranzosen zu teilen?
„Mia? Jette?“, sagt Papi und zieht die Augenbrauen gefährlich zusammen. „Geht ihr bitte mal raus?“
Ach, du dickes Ei! Was soll das denn werden? Mein Papi ist zwar Lehrer, sogar an meiner Schule, aber es heißt immer, dass er nicht besonders streng ist. Doch jetzt klingt seine Stimme ziemlich nach Donnerwetter.
Etwas benommen tapsen Jette und ich über den Flur. Rein in mein Zimmer.
„Was ist denn in deinen Bruder gefahren?“ Jette lässt sich wie ein Mehlsack in meinen Schaukelstuhl plumpsen. Gut, dass sie in ihrem Bewunderungswahn für Lukas wenigstens gemerkt hat, dass das eben total daneben von ihm war.
„Keine Ahnung“, erwidere ich und hocke mich auf den blau-weiß gestreiften Läufer vor meinem Bett. „Ich versteh nicht, warum er Jean-Pierre nicht mal eine Chance gibt. Er kennt ihn doch gar nicht!“
Jette nickt. „Ganz schön fies.“
„Ich weiß, warum!“ Meine kleine Schwester steckt ihren Kopf durch den Vorhang, der unser Zimmer in zwei Hälften teilt, und schüttelt ihre mausbraunen Haare.
„Lena, hast du etwa gelauscht?“

„Nö. Aber wenn ihr so laut sprecht, höre ich ja automatisch, was ihr sagt.“

„Grrr“, mache ich wie ein Tiger. „Also gut, sag schon.“ Eigentlich kann ich es überhaupt nicht leiden, wenn sie sich einmischt und auch noch schlaumeierische Kommentare von sich gibt. Sie kann von Glück reden, dass ich sie im Grunde meines Herzens so lieb habe. Sonst hätte ich sie längst eingetütet und in einer Rakete zum Mond geschossen.

„Lukas hat doch eine Freundin“, sagt Lena, als wäre das etwas komplett Neues. Dabei ist mein Bruder schon seit einer ganzen Weile mit meiner Banknachbarin Streber-Christi zusammen.

„Ja und?“, frage ich.

„Menno, bist du blöd? Der will doch mit ihr knutschen und da stört der Franzose eben.“

„Tschüss! Adieu! Tschau-hau!“, flöte ich, so wie Omi Olga das immer tut.

Lena taucht zum Glück wieder hinter dem Vorhang ab.

„Vielleicht hat sie ja Recht“, meint Jette und legt ihre Stirn in Dackelfalten. „Stell dir bloß mal vor, dein Bruder würde eine superheiße Französin anschleppen und die würde dann mit in deinem Zimmer schlafen. Da wärst du bestimmt auch tierisch genervt.“

„Wenn sie superheiß und sonst blöd ist, schon. Aber

vielleicht wäre sie ja auch nett. Nur muss ich sie ja erst mal kennenlernen, um das festzustellen."

Jette zwickt und kneift mich. „Weißt du was, Miss Butterfly?"

„Nee, aber bestimmt verrätst du es mir", sage ich und rücke vorsichtshalber ein Stückchen von ihr ab.

„Am liebsten wäre es dir doch sowieso, wenn Jean-Pierre bei dir im Zimmer schlafen würde."

„Spinnst du?!" Spucketröpfchen fliegen durch die Luft. „Ich schlafe doch nicht mit einem Jungen in einem Zimmer. Eher friert ja wohl die Hölle zu!"

Jettes blonde Augenbrauen wandern in die Höhe. „Jean-Pierre ist doch gar kein normaler Junge. Er ist Franzose. Und Ex-Page. Und supersüßfantastico." Ihre Augenbrauen flutschen wieder runter. „Oder sehe ich das etwa falsch?"

Ich schüttele den Kopf. „Nein. Aber deswegen muss ich ja nicht gleich Purzelbäume schlagen und einen dreifachen Flickflack machen."

Ich mache zwar auf lässig, doch Jette hat schon irgendwie Recht. Jean-Pierre ist a) kein stinknormaler Franzose und b) der süßeste Junge, den ich kenne. Trotzdem will ich nicht, dass er mit in meinem Zimmer schläft. Das wäre peinlicher als alles, was ich mir vorstellen kann.

„Heißt das etwa, du findest Jean-Pierre gar nicht mehr so supersüßfantastico?"

„Mittelsupersüßfantastico", sage ich, um meine Ruhe zu haben. Außerdem traue ich Lena nicht über den Weg. Vielleicht lauscht sie ja doch wieder hinter dem Vorhang und schnappt genau das auf, was nicht für ihre Ohren bestimmt ist.

„Weißt du was?" Jette schaukelt so heftig hin und her, dass die Dielen knarzen. „Ich kann ja auch meine Eltern fragen. Und dann schläft Jean-Pierre eben in einem meiner beiden Zimmer."

Jettes Eltern sind geschieden und leben in getrennten Wohnungen (allerdings im selben Haus). Daher hat Jette gleich zwei Zimmer. Ihr altes Zimmer mit den vielen roten Kissen bei ihrer Mutter und ihr neues *graues Reich*, das ihr Vater für sie eingerichtet hat. Natürlich wäre es superpraktisch, wenn Jean-Pierre beispielsweise in Jettes graues Reich ziehen würde, aber … nein, das kommt überhaupt nicht in Frage! Jean-Pierre ist mein Gast, also wohnt er auch bei uns!

„Danke, das ist lieb von dir", sage ich, „aber …"

Es klopft, und bevor ich mich noch graziös hindrapieren kann, steht Jean-Pierre auch schon im Zimmer. Er trägt ein frisches Ringelshirt und seine vollmilchbraunen Augen blitzen und blinken, als er sich umsieht.

„Wow!", ruft er aus. „Was für ein schönes Zimmer! Es ist so … so …"

„Aufgeräumt?", fragt Jette nach.

„*Oui*, aufgeräumt. Aber auch hübsch." Seine Blicke flitzen umher und ich bin plötzlich schrecklich stolz auf das Eisenbett, den blauen Schaukelstuhl, den blau-weiß gestreiften Läufer und die himmelblaue Gardine. Alles passt so schön zusammen. Und meine Schmetterlingssammlung auf der Fensterbank zaubert mir sowieso jeden Tag ein glückliches Grinsen ins Gesicht.

„*Mademoiselle* Mia, *Mademoiselle* Jette, darf ich reinkommen?", fragt er, obwohl er ja schon im Zimmer steht.

Während Jette wieder mal einen mittelschweren Kicheranfall kriegt, winke ich ihn herein. Jette weiß doch, dass Jean-Pierre alle möglichen Leute anredet, als wären sie Gäste in einem 5-Sterne-Hotel. Muss sie da jedes Mal so albern losglucksen?

„Setz dich doch", sage ich und deute auf mein Bett.

Jean-Pierre guckt nur kurz hin (hoffentlich findet er die karierte Bettwäsche genauso hübsch wie ich), dann lässt er sich neben mich auf den Läufer sinken. Meistens hocken hier nur Jette, Alina, Leonie und ich bei unseren Quasselsabbelnachmittagen. Komisch, dass jetzt der Franzose, der so zum Anbeißen nach Babypuder riecht, neben mir sitzt.

„Mein Bruder meint das nicht so", sage ich entschuldigend.

„Kein Problem, Mia. Lü-ka ist doch sehr nett.“
Bingo! Super gelogen, Jean-Pierre! Aber wie ich ihn kenne, ist er viel zu höflich, um mir die Wahrheit über meinen Muffelbruder ins Gesicht zu sagen.
Jette hat aufgehört zu kichern, Jean-Pierre umschlingt seine hochgezogenen Knie mit den Armen und legt sein Kinn darauf ab. Alle beide schielen mich erwartungsvoll von der Seite an, doch wieder einmal bin ich von einer totalen Hirnleere befallen. Peinlich, peinlich. Aber warum muss eigentlich immer ich die Unterhaltung bestreiten? Kann nicht auch mal Jette etwas Geistreiches von sich geben? Oder meine kleine Schwester, die bestimmt hinter dem Stoffvorhang lauert?
Eine Weile schweigen wir so vor uns hin, dann räuspert sich Jean-Pierre.
„Weißt du, woran mich dein Zimmer erinnert, Mia?“
„Nö?“
Hoffentlich kommt jetzt nichts Blödes, denke ich noch, doch da sagt Jean-Pierre: „An eine hübsche kleine Pension in der Bretagne. Man riecht ja fast schon das Meer und hört die Möwen kreischen.“
Warme Glücksbäche rieseln durch mich hindurch und wahrscheinlich grinse ich ziemlich blöde. Mein Blick fällt auf Jette, die ein bisschen eifersüchtig guckt. Sie ruckelt ihre Brille zurecht und meint: „Du solltest mal mein Zimmer sehen, Jean-Pierre. Da ist alles rot!“

„Rot?“

„Ja, richtig rot!“

„Mega-giga-irre rot“, füge ich sicherheitshalber hinzu.

„Oh, das klingt auch hübsch“, meint Jean-Pierre.

Ich weiß nicht, ob er nur höflich sein will, aber es ist mir auch egal.

Ich genieße es einfach, dass er hier neben mir hockt und dass es von Sekunde zu Sekunde lockerer zwischen uns wird, auch wenn es in unserem Gespräch nur um rote, blaue und ziemlich hübsche Zimmer geht.

Kurz darauf sitzen wir alle um den großen Küchentisch. Wir müssen uns ein bisschen quetschen, weil die Küche mit meiner Familie, mit Jette und dem Franzosen-Besuch aus allen Nähten zu platzen droht. Ich sitze zwischen Jette und Jean-Pierre; Mami hat sich mit Josefinchen aus Sicherheitsgründen ans andere Ende des Tischs verzogen. Es könnte ja sein, dass die Kleine noch mal einen Schwall Irgendwas auf Jean-Pierres T-Shirt spuckt. Im Moment patscht sie mit ihren feisten Händchen fröhlich auf dem Küchentisch herum, immer nur wenige Millimeter an ihrem Breischüsselchen vorbei. Da kann schneller was passieren, als man bis drei zählen kann.

„Achtung, es geht los!“ Papi hievt den Suppentopf auf den Tisch.
„Zwiebelsuppe“, erklärt er stolz, als hätte er die Suppe selbst gekocht. Dabei hat Mami den ganzen Morgen lang heulend Zwiebeln geschält.
Ein mega-giga-irre leckerer Duft steigt mir in die Nase, als er den Deckel anhebt.
„Das esst ihr zu Hause bestimmt öfter, stimmt's?“
„Oui, oui!“
Jean-Pierre lächelt höflich und faltet die Stoffserviette auseinander, die Mami neben die tiefen Teller gelegt hat. Bei uns zu Hause gibt es nur ganz selten Stoffservietten. Wenn hoher Besuch da ist. Wie zum Beispiel eine Königin. Oder eben ein zum Knuddeln süßer Zahnspangenprinz.
Lukas hebt sein Hinterteil ein paar Zentimeter hoch, lugt in den Topf und fragt mit schmerzverzerrter Miene: „Wie jetzt, ist da etwa gar kein Fleisch drin?“
Mami bemüht sich um ein freundliches Lächeln. „Nein, Lukas, da ist kein Fleisch drin. Man muss auch nicht jeden Tag Fleisch essen.“
Da hat Mami vollkommen Recht. Nur übersieht sie dabei, dass mein Bruder am liebsten Dinge futtert, die früher mal zwei Augen und vier Beine hatten.
„Grrr“, macht Lukas und Mami sagt, dass sie schon längst vegetarisch leben würde, wenn wir nicht ständig nach Würstchen und Frikadellen verlangen würden.

„Moment, mein Herzchen", schaltet sich Omi Olga ein. „Du darfst dich aber auch nicht wundern. Deine Frikadellen schmecken einfach himmlisch. Schön blöd, wer freiwillig darauf verzichtet."
Mami übergeht die Bemerkung und fragt Jean-Pierre nach seinen Essgewohnheiten. Was er zum Frühstück mag und ob er Fleisch isst und Wurst und so weiter und so fort.
„Oui, Madame An-sen", antwortet Jean-Pierre höflich wie immer. „Ich esse Fleisch. Sehr gerne sogar."
Während Lukas ihm einen dankbaren Blick zuwirft, lacht Mami ein bisschen affig auf.
„Jean-Pierre, sei doch so lieb und sag Andrea und *du* zu mir. Du gehörst doch jetzt praktisch zur Familie."
„Und ich bin Thomas", ergänzt Papi, indem er auf seinen kurz geschnittenen Vollbart deutet. Mir ist völlig neu, dass Bärte Namen haben.
„Und ich bin die Olga!", tiriliert Omi Olga mit wehenden Tunika-Ärmeln.
„Oui, Madame An-sen", sagt Jean-Pierre wieder und alle lachen.
Alle außer ihm selbst. Was ich total gut verstehen kann. Ich glaube, ich würde Jean-Pierres Eltern und seine Großmutter auch nicht gerne duzen und mit Vornamen anreden. Das sind doch alles alte Leute!
Während Papi die Teller auffüllt, geht Lukas zum Kühlschrank und reißt ihn auf.

„Was suchst du denn da?“ Mami mustert meinen Bruder misstrauisch.
„Schinken“, tönt es dumpf aus dem Kühlschrank. „Ich mach mir ein Brot.“
„Lukas, du setzt dich jetzt bitte wieder hin und probierst die Suppe“, erklärt Papi.
„Dein Vater hat vollkommen Recht“, schaltet sich Omi Olga ein. „Erst mal probieren. Danach kann man immer noch sagen, schmeckt mir nicht.“
„Aber nach Zwiebeln muss man doch pupsen“, bemerkt Lena megaschlau. „Wie eklig, wenn Mia heute Nacht in unserem Zimmer …“
Ich stoße Lena unter dem Tisch an. Himmel, ist das alles wieder mal peinlich!
Doch dann kommt alles noch viel schlimmer. Während Mami Josefinchen füttert, schiele ich zu Jean-Pierre rüber. Der sitzt nämlich schon die ganze Zeit wie eingefroren da.
Jette schielt ihn von der anderen Seite an, gleichzeitig rollt sie mit den Augen und zwinkert mir auffällig zu. Wahrscheinlich will sie mir sagen, dass mit Jean-Pierre irgendwas nicht in Ordnung ist, aber das sehe ich ja selbst. Beim Currywurstessen in Berlin war er jedenfalls nicht stumm wie ein Fischstäbchen und er hat auch nicht so verkniffen aus der Wäsche geguckt. Zu dumm, dass ich nicht mal mit Jette tuscheln kann.

„Noch mehr?“, fragt Papi, als er Jean-Pierres Teller in der Hand hält.
Der schüttelt den Kopf und krächzt: *„Non, merci.“*
Omi Olga wünscht allseits einen guten Appetit, dann fangen wir an zu essen. Die Suppe mit dem schwimmenden Käseweißbrot ist richtig lecker. Ich stelle mir gerade vor, wie es wäre, mit Jean-Pierre in einem Bistro in Paris zu sitzen, als er in die Senkrechte fährt, ein paar Grunzer von sich gibt und *„Pardon* ... Wo ist ... ist das Bad?“ stammelnd rausrennt.
Auweia, was ist denn jetzt los?
Bevor ich auch nur Piep sagen kann, ist Papi aufgesprungen und flitzt hinter ihm her.
Wir gucken uns alle ratlos an. Ist Jean-Pierre etwa schlecht geworden? Von Mamis leckerer Zwiebelsuppe?
„Muss Jean-Pierre jetzt kotzen?“, fragt Lena.
„Bestimmt nicht, mein Schatz“, sagt Mami und streichelt mechanisch Josefinchens Köpfchen. Sie sieht todunglücklich aus. Das wäre ich an ihrer Stelle auch. Wo sie sich mit der Suppe doch so viel Mühe gegeben hat.
„Hm, na ja“, brummt Omi. „Vielleicht war die Reise so anstrengend.“
„Oder er hasst Zwiebeln“, wirft Jette ein.
„Aber Zwiebelsuppe ...“ Mami klingt richtig verzagt. „Ich dachte, die mag jeder Franzose. Da kann man nichts falsch machen.“

„Kann man wohl", sagt Lukas, der seine Portion fast schon aufgegessen hat. „Fehlt ja total das Fleisch." Er schlürft den Rest aus dem Teller, dann wischt er sich den Mund mit der Serviette ab. „Kann ich mir jetzt ein Wurstbrot schmieren?"

Mami nickt schicksalsergeben und schickt einen ozeantiefen Seufzer hinterher.

„Yippie!", jubelt mein Bruder und rettet sich an den Kühlschrank, das Wurst- und Schinkenparadies.

„Andrea, deine Suppe schmeckt wirklich köstlich." Omi tätschelt tröstend Mamis Arm. „So herrlich französisch! Du musst mir unbedingt das Rezept verraten. Damit werde ich Diego mal überraschen."

Bevor Mami auch nur Piep sagen kann, sind Papi und Jean-Pierre (er ist tatsächlich ein bisschen blass um die Nase!) schon wieder zurück. Vier Personen am Tisch (Mami, Omi Olga, Jette und ich) blicken neugierig zur Tür. Eine Person (Josefine) kriegt genau in dieser Sekunde die Breischüssel zu fassen und reißt sie runter.

„Oh nein!", schreit Mami.

„Oh doch!", ruft Omi Olga und nimmt Mami Josefinchen ab, die prompt zu schreien anfängt.

„Guckt nicht so. Alles im grünen Bereich", sagt Papi, während sich unser Besuch mit gesenktem Kopf an ihm vorbeipresst und wieder hinsetzt. „Jean-Pierre mag nur keine Zwiebeln. Da reagiert er etwas über."

„Aber warum hast du das denn nicht gleich gesagt?“, fragt Mami in das ohrenbetäubende Josefinchen-Gebrüll hinein.
„Ähm … tut mir leid.“ Jean-Pierre knautscht seine Locken. „Ich dachte … also, ich wusste nicht …“
Oh weh! Der süße Zahnspangenfranzose leidet nicht nur unter Zwiebelekel, sondern auch noch unter Stotteralarm. Der Arme. Ich linse zu ihm rüber, aber er guckt nur starr geradeaus. Das Schlimmste wäre, wenn er mich jetzt nicht mehr mag. Weil er findet, dass in meiner Familie alles nur schrecklich ist. Angefangen bei meinem unfreundlichen Bruder, der ihn nicht bei sich wohnen lassen will, über Josefinchens Gebrüll bis zur grässlichen Zwiebelsuppe.
Jemand räuspert sich und eine männliche Stimme sagt: „Jean-Pierre?“
Das klang ganz nach meinem Bruder. War das tatsächlich Lukas? Ich kann's kaum glauben.
Ja, er war es! Er steht an der Arbeitsplatte und schmiert Wurstbrote im Akkord. Wenn ich nicht gerade Hörstörungen habe, waren das die ersten halbwegs netten Worte, die er an den Franzosen gerichtet hat. Und weil Lukas gerade seine gesprächigen fünf Minuten hat, fährt er fort: „Wurstbrot?“
In Deutsch haben wir mal gelernt, dass Sätze aus Subjekt, Prädikat und Objekt bestehen. Nur mein maulfauler Bruder verkürzt das Ganze am liebsten auf ein

bis zwei Wörter. Seine Begründung: In Comics wird doch auch so gesprochen.

Jean-Pierre dreht sich um und nickt ihm zu. Ein knuffig-süßes Lächeln huscht über sein Gesicht.

„Eine Scheibe? Oder zwei?“, will Lukas wissen.

„Zwei. Äh, *pardon* … wenn das geht.“

„Klar geht das“, sagt Lukas und grinst Mami mit einem Ätschibätsch-Grinsen an.

Während mein Bruder weiter an den deftigen Schnittchen werkelt, löffeln wir schweigend unsere Suppe. Josefinchen beruhigt sich wieder und Omi erzählt einen albernen Blondinenwitz.

„So“, sagt Lukas, als er mit dem Broteschmieren fertig ist. „Es gibt Leberwurst, Schinken und Salami. Willst du noch was, Jean-Pierre? Saure Gurken oder so?“

Er schüttelt den Kopf.

„Lust, in meinem Zimmer zu essen?“, tönt es jetzt noch zu allem Überfluss von der Arbeitsplatte.

Ich glaub, ich spinne!

„Lukas, wir essen heute alle hier zusammen in der Küche“, erklärt Mami, aber da schiebt Jean-Pierre schon ratschend den Stuhl zurück und steht auf.

Ich glaub, ich spinne doppelt und dreifach!

Papi legt seine Hand auf Mamis Arm, was so viel wie *Lass die beiden nur* heißen soll.

Im nächsten Moment sind die Jungs und die Wurstbrote draußen und ich fühle mich, als wäre ein

Trecker über mich drübergefahren. Einfach nur briefmarkenplatt. Jean-Pierre ist *mein* Besuch und jetzt zieht er es vor, mit meinem megaunfreundlichen Bruder in dessen Zimmer zu essen. Das ist so was von daneben!

Zum Glück ist wenigstens meine beste Freundin da. Sie rückt jetzt einen Platz auf, nimmt meine Hand und tätschelt sie.

„Mach dir nichts draus“, flüstert sie mir zu.

Natürlich mache ich mir was draus! Während Mami erzählt, dass sie bald wieder mit ihrer Arbeit als Fußpflegerin anfangen möchte, und Josefinchen lustige Spuckeblasen produziert, werde ich immer trauriger. Vielleicht war es ja doch eine Schnapsidee, Jean-Pierre zu uns nach Hause einzuladen. Einen Jungen, den ich kaum kenne. Das kann ja nur schiefgehen.

Ein Glück, dass es zum Nachtisch Omis weltberühmte *Mousse au chocolat* gibt. *Mousse au chocolat* tröstet mich immer.

Mami bereitet auch zwei Schälchen für Lukas und Jean-Pierre zu und nickt dabei in meine Richtung. Aber ich denke gar nicht daran, den beiden auch noch den Nachtisch hinterherzutragen. Entweder bequemen sie sich gefälligst in die Küche oder sie kriegen eben nichts Leckeres zu futtern. Ende der Durchsage.

„Kann ich mit Jette in mein Zimmer gehen?“, frage ich.

„Aber sicher“, sagt Mami und zwinkert mir zu. Leider steht nicht in einer Sprechblase über ihrem Kopf geschrieben, was sie denkt.
„Darf ich auch aufstehen?“ Lena hat schon ihr Nachtischschälchen in der Hand, doch Mami hält sie zurück.
„Lass Mia und Jette mal ein bisschen für sich sein“, sagt sie, wofür ich ihr am liebsten um den Hals fallen würde. Wahrscheinlich weiß sie ganz genau, dass ich mich über Jean-Pierre auslassen will. Und das kann ich natürlich besser, wenn Lena nicht hinter dem Stoffvorhang auf der Lauer liegt.
Kaum habe ich es mir auf meinem Läufer bequem gemacht – Jette sitzt wie vorhin im Schaukelstuhl und schaukelt –, muss ich erst mal eine Runde laut seufzen. Heulen wäre noch besser, aber das geht nicht, falls der Zahnspangenfranzose überraschend in mein Zimmer platzt.
Ich tauche meinen Löffel in die Schokocreme, dann schimpfe ich los: „Das ist ja so fies! So mega-giga-irre fies!“
„Was denn jetzt genau?“, will Jette wissen. „Dass Jean-Pierre keine Zwiebelsuppe gegessen hat und jetzt mit Lukas Wurstbrote futtert?“
„Dass er mit Lukas auf knutschedicken Freund macht und mich … äh … uns hängenlässt. Dabei war Lukas doch so ätzend zu ihm!“

Jette stellt ihr Schälchen zwischen ihren Oberschenkeln ab und tätschelt wieder meine Hand. Wahrscheinlich wird sie später mal Therapeutin. Oder irgendwas anderes mit Psycho. Sie kann das echt gut.
Mein Handy surrt. Eine SMS von Alina. *Wie ist es denn so mit dem Franzosen?*, steht auf dem Display. Logisch, dass sie das wissen will. Alina, die dritte in unserem Freundinnen-Quartett, interessiert sich für alles, was mit Liebe und süßen Jungs zu tun hat. Sie liest am liebsten Bücher, in denen Liebe vorkommt, und von ihrer Lieblings-Telenovela *Glut der Liebe* verpasst sie keine Folge. Außerdem hat sie sogar schon einen echten Freund zum Händchenhalten: Kaspar aus meiner Klasse, den alle nur Mr Rülps nennen. (Ratet mal, warum er so heißt.)
Bescheuert ist es mit dem Franzosen, denke ich und schreibe: *Melde mich später. Jette ist noch da.*
„War das Alina?“
Ich nicke. „Sie will wissen, wie es mit Jean-Pierre läuft.“
Wahrscheinlich ziehe ich das unglücklichste Gesicht aller Zeiten, denn Jette sagt: „Nimm dir das nicht so zu Herzen, Miss Butterfly. Jean-Pierre muss sich erst an alles hier gewöhnen. Der meint das nicht persönlich, wenn er lieber mit Lukas als mit uns isst.“
Er meint das nicht persönlich? Wie soll er es denn sonst meinen? Tatsache ist, dass er es vorzieht, mit

dem unfreundlichen Lukas Wurstbrote zu mampfen als mit dem freundlichen Rest der Familie Zwiebelsuppe und *Mousse au chocolat*. Ganz schön bescheuert.

„Wahrscheinlich war das alles ein bisschen zu viel für ihn“, fährt Psychologin Jette fort. „Erst spuckt Josefinchen ihn voll und dann sitzen tausend Leute mit am Tisch.“

„Tausend? Wenn ich richtig zählen kann, waren wir mit dir gerade mal acht. Das ist nicht mal eine Fußballmannschaft! Und im Hotel hatte er wirklich tausend Leute um sich rum.“

Jette zuckt mit den Schultern und fängt wieder an zu schaukeln.

„Jean-Pierre ist eben ein Junge. Und Jungs sind doch meistens … also, ich meine, auch wenn sie süß sind … ein bisschen komisch.“

Das stimmt. Jette war schon in einige Jungs verknallt, aber am Ende hatten alle eine Macke. Ziemlich blöd. Was soll ich zwei Wochen lang mit einem anfangen, der früher mal ein echter Zahnspangenprinz war und jetzt nur noch ein beknackter Typ wie mein Bruder ist?

Unvieschohh?

Liebes Tagebuch,

ich könnte heulen. Echt HEULEN!
Jean-Pierre ist jetzt seit ein paar Stunden bei uns, aber es fühlt sich so ganz anders an, als ich es mir vorgestellt habe. Ich wollte ja immer in einen Franzosen verliebt sein, aber so? Nee, nö, merci und vielen Dank auch.
Was an Jean-Pierre noch genauso ist wie in Berlin:
1. Er trägt immer noch die Zahnspange.
2. Er sieht immer noch total süß aus.
3. Er duftet immer noch nach Babypuder (aber ganz anders als Josefinchen).
4. Er ist immer noch mega-giga-irre höflich.
5. Er spricht immer noch mit diesem hübschen französischen Akzent. Statt „ich" sagt er zum Beispiel „isch" und statt „habe" „abbe".
Was an Jean-Pierre anders ist als in Berlin:
1. Seine Haare sind länger geworden.

2. Er ist total gewachsen (fast zehn Zentimeter!!!).
3. Seine Füße sind so lang, dass er schon der Triefnase Konkurrenz machen könnte (und Herr König hat wirklich riesengroße Füße).
4. Er kann mir manchmal nicht richtig in die Augen gucken.
5. Ab und zu stottert er (weil er so unsicher ist?).
Wenn ich mir vorstelle, dass Jean-Pierre jetzt zwei Wochen lang in Lukas' Zimmer abtauchen und mit meinem Bruder Wurstbrote futtern wird, wird mir ganz anders. Das halte ich nicht aus.

„Mia!", tönt Lena hinter dem Vorhang. „Mach das Licht aus! Ich will schlafen."
„Gleich."
„Nein, jetzt sofort! Es ist schon elf."
„Jahaaa, ist ja guhuut."
Ich klappe mein Tagebuch zu, stopfe es unters Kopfkissen (wo es hoffentlich vor Lena sicher ist), dann lösche ich das Licht und mache die Augen zu. Hach, herrlich! Ich bin schon fast am Einschlafen, da sehe ich auf einmal Pferde über eine Wiese galoppieren. Pferde mit langen weißen Mähnen und auf einem sitzt Jean-Pierre.
Nein, nein, nein! Ich will jetzt nicht an ihn denken! Ich will … keine Ahnung, was ich will.

Schwupp drehe ich mich auf die andere Seite und ein breiter weißer Sandstrand taucht vor meinem inneren Auge auf. Schon besser. Wellen laufen am Strand aus. Mal große, mal kleine, dann krabbelt plötzlich eine Gestalt an Land und schüttelt sich wie ein Hund. Zu dumm nur, dass der Hund kein Hund ist, sondern Jean-Pierre, der mich mit seinen vollmilchbraunen Augen und mit blitzender Zahnspange angrinst.
„Hau bloß ab!“, zische ich.
„Wie? Was?“, brabbelt Lena.
„Sei still.“
„Sei du doch still, ich will endlich schlafen. Ich bin todmüde.“
„Dann schlaf und plappere nicht wie ein Plappermat.“
„Was ist denn ein Plappermat?“
„So was wie du!“
Wir kabbeln uns noch eine Weile, dann kehrt endlich Ruhe ein. Wahrscheinlich ist meine kleine Schwester vor Erschöpfung eingeschlafen.
Ich rolle mich zur Schnecke zusammen und möchte nur noch eins: ins Reich der Träume sinken und vergessen, dass der erste Tag mit Jean-Pierre ein ziemlicher Reinfall war. Ich bin wirklich ganz schrecklich müde. Doch dann merke ich, dass ich noch mal Pipi muss.
„Nein, das verkneifst du dir jetzt“, rede ich mir gut zu und drehe mich auf die andere Seite. Ich will nicht

wieder aufstehen. Denn wenn ich in meinem Schlafshirt mit dem Schmetterlingsmotiv auf der Brust über den Flur tapse, laufe ich Gefahr, dass der süße Zahnspangenfranzose auch gerade in keine-Ahnung-was über den Flur tapst. Weil er ebenfalls total dringend Pipi muss. Ich will aber nicht, dass Jean-Pierre mich in meinem Schmetterlings-Nachtshirt sieht, und ich will auch nicht Jean-Pierre in seinem Keine-Ahnung-was-Nacht-Outfit sehen. Das wäre einfach nur mega-giga-irre peinlich.
Ein paar Minuten verstreichen, dann schlägt meine Blase wieder Alarm. Es ist wirklich ziemlich dringend! Total genervt schlage ich die Decke zurück und krabbele aus dem Bett.
„Mia, was machst du denn schon wieder?“, tönt es schlaftrunken hinter dem Stoffvorhang.
„Aufs Klo gehen. Oder soll ich in dein Bett pinkeln? Wenn du das willst, komm ich eben zu dir rüber.“
„Ja, aber mach schnell.“
Da ich stark davon ausgehe, dass Lena das eben nur im Halbschlaf gesagt hat, schleiche ich zur Tür und drücke leise die Klinke runter. Ich spähe auf den Flur. Die Luft ist rein! Husch, ab ins Bad. Erst jetzt wird mir so richtig bewusst, was es bedeutet, zwei Wochen lang mit Jean-Pierre unter einem Dach zu leben. Nacht für Nacht heißt es bibbern, wenn ich mal zur Toilette muss. Und wie es erst in der Schule sein wird,

wenn er mit in meiner Klasse sitzt, mag ich mir schon gar nicht ausmalen.
Siedend heiß fällt mir etwas ein. Mein Papi ... Herr Thomas Hansen ... *Monsieur An-sen*. Seit ich denken kann, unterrichtet er an meiner Schule Deutsch und Geschichte. Allerdings habe ich ihn bisher nie im Unterricht gehabt. Doch jetzt ist das eingetroffen, wovor ich mich immer gefürchtet habe: Unsere Klassenlehrerin Frau Müller-Stegemann ist schwanger und geht ab nächste Woche in den Mutterschaftsurlaub. Das heißt ... das heißt ... das heißt ... wir kriegen *Monsieur An-sen* übergangsweise in Deutsch!
Mami meint, das sei halb so schlimm, Omi Olga meint, das sei mittelschlimm, Jette findet das ein bisschen schlimm, nur Papi schweigt sich aus. Was darauf hindeutet, dass er es total schlimm findet. Genau wie ich.
Ich hocke immer noch auf der Klobrille, als es leise an die Tür pocht. Mir fährt der Schreck in die Glieder. Niemand sonst in unserer Familie klopft, wenn er oder sie mal muss!
„Wer ist da?“, krächze ich wie ein Krächzomat.
„Moi!“
Das klang a) ziemlich französisch und b) nach Junge. Schlimmer, das *war* französisch! (*Moi* heißt *ich*.) Und die Stimme war eindeutig die von Jean-Pierre!
Ich wünschte, ich könnte mich in eine Klobürste verwandeln und bis zum Nimmerleinstag im Badezim-

mer bleiben. Oder die Pinkelpolizei würde kommen und Jean-Pierre verhaften.

„Mia? Bist du da drin?“

„Ja, bin ich“, will ich sagen, aber nur ein komischer Zischlaut kommt aus meinem Mund.

Tock, tock, tock, klopft es wieder.

„Mia, alles okay?“

Ich nicke dem Waschbecken zu, dann ziehe ich auf und husche zur Tür. *Krtschhhhh* macht der Schlüssel im Schloss und wir stehen uns gegenüber: ich in meinem Schmetterlings-Nachtshirt, Jean-Pierre in schlabberigen Bermudashorts, die ihm bis zu den Knien reichen, und in einem schlabberigen XXL-T-Shirt. Seine langen Arme schlenkern und die Füße sind einwärts gedreht. Dann verbeugt er sich vor mir wie vor einem Gast in einem 5-Sterne-Hotel.

„*Bonsoir,* Mia.“

„*Bonsoir*, Jean-Pierre“, sage ich, als hätten wir uns heute noch nicht gesehen.

Seine Zahnspange blinkt im schummrigen Flurlicht.

„Wirklich alles okay?“

„Ja, äh ... Und bei dir?“

„Ich ... äh, kann ich ... äh ... mal?“

Ich trete einen Schritt beiseite und Jean-Pierre verschwindet im Bad. Einer Ohnmacht nahe rette ich mich in die Küche und trinke Wasser aus dem Hahn. Wie kann man nur so peinlich stottern? Als wären bei

uns beiden gleichzeitig die Lichter ausgegangen. Das kann ja lustig werden. Zwei Wochen lang nur Gestammel und Gestotter!
Etwas klappert. Ich fahre herum.
Jean-Pierre steht im Türrahmen und grinst schief. Wahrscheinlich hat er sich unser Wiedersehen auch nicht so komplett verpeilt vorgestellt.
„Magst du was trinken?“, bringe ich einigermaßen flüssig über die Lippen.
„*Oui.* Sehr gerne.“
Ich deute auf den Kühlschrank. „Nimm dir einfach, was du magst.“
„Merci, Mademoiselle.“
Ach, du dicker Schmetterling, hoffentlich siezt er mich nicht gleich wieder!
Jean-Pierre lässt den Kühlschrank aufschnappen und kriecht halb hinein.
Ich stehe dumm in der Gegend herum. Soll ich jetzt rausgehen, mich ins Bett legen und garantiert nicht einschlafen können? Oder die Gelegenheit nutzen und mich mit ihm unterhalten? Nur worüber?
Jean-Pierre hält eine Flasche Mineralwasser hoch: „Mia, kann ich auch ... ähm ...“ Er verstummt und streicht sich die zotteligen Locken aus dem Gesicht.
„Was denn?“
„Kann ich auch was essen? Ich habe ... *pardon* ... schon wieder Hunger.“

Ich ertappe mich dabei, dass ich wie ein Honigkuchenpferd grinse. Wie süß ist das denn! Jean-Pierre entschuldigt sich dafür, dass er Hunger hat! Mein Bruder würde so etwas nie tun. Der futtert einfach drauflos – und fertig.
„Natürlich kannst du was essen“, sage ich. „Du gehörst ja jetzt … ähm … zur Familie.“
Jean-Pierre mustert mich aus schmalen Augen. War das blöd von mir, dass ich das gesagt habe? Oder irgendwie unpassend? Weil er doch nur mein Besuch ist?
„Willst du auch was?“, unterbricht Jean-Pierre mein Gedankenkuddelmuddel.
Seine langen Arme verschwinden wieder im Kühlschrank.
„Nö, *merci*.“ Rasch hole ich einen Teller und Besteck für ihn raus.
Als ich wieder hingucke, hat er die Plastikbox mit Wurst und Aufschnitt aufgemacht und schiebt sich ein paar Wurstscheiben auf einmal in den Mund.
„Ich *mpf* brauch *mpf* keinen *mpf* Teller *mpf*“, sagt er kauend.
Auweia. Mir würde ja kodderschlecht werden. Nicht mal Lukas futtert Wurst- und Salamischeiben solo. Außerdem frage ich mich, wie mein Bruder morgen früh reagieren wird, wenn von seinem heiß geliebten Aufschnitt nichts mehr übrig ist. Nicht, dass er einen

Tobsuchtsanfall bekommt und Jean-Pierre aus seinem Zimmer schmeißt.
„Auch was?“ Jean-Pierre hält mir die Vorratsbox unter die Nase.
Ich schüttele den Kopf.
„Du fromage ... Käse?“
„Oui ... äh ... *non.“*
Doch Jean-Pierre ist schon aufgesprungen und holt die Käseglocke raus.
Eigentlich habe ich überhaupt keinen Hunger und meine Zähne sind ja auch schon geputzt, aber weil Jean-Pierre so süß vor sich hin lächelt, setze ich mich zu ihm an den Küchentisch und schneide mir ein Stückchen Käse ab. Und noch eins.
Beim dritten Stück sagt Jean-Pierre kauend: *„Je suis vraiment désolé.“*
Angestrengt krame ich meinem Hirn. Was heißt das noch mal?
„Es tut mir leid“, übersetzt er prompt.
„Was tut dir leid?“ Verlegen säbele ich wieder an dem Gouda herum.
„Dass ich mich so blöd benommen habe und zum Essen zu Lukas gegangen bin.“
Und warum hast du dich so blöd benommen?, würde ich am liebsten fragen, doch ich nicke nur.
Jean-Pierre schiebt sich eine Scheibe Schinken in den Mund.

„Das ist alles so neu und ungewohnt für mich“, fährt er fort.
„Gefällt's dir denn überhaupt bei uns?“
„Mais oui!“ Er nickt eifrig. „Deine Eltern sind sehr nett. Und deine Großmutter“, er lacht leise auf, „sie ist so lustig! Deine Schwestern mag ich auch sehr. Und dein Bruder ...“
„Ich weiß, dass er manchmal ganz schön ätzend sein kann“, falle ich ihm ins Wort. „Tut mir leid, dass du ausgerechnet mit ihm ...“
Ich spreche nicht weiter, weil Jean-Pierre wilde Muster in die Luft malt. Hoffentlich bekommt er nicht gleich einen Wurst-Schock! Immerhin hat er schon die halbe Vorratsdose leer gefuttert. Aber ein süßes Zahnspangenlächeln taucht auf seinem Gesicht auf und er sagt: „Kein Problem. Lü-ka war supernett zu mir.“
Wie bitte? Mein Bruder war supernett zu Jean-Pierre? Wenn ich es nicht besser wüsste, würde ich denken, dass es sich um eine Verwechslung handeln muss. Dass sich ein zweiter Lukas ins Jungszimmer geschlichen und mit Jean-Pierre auf dicken Fleischfresser-Freund gemacht hat.
„Er hat mir seine Comics gezeigt“, fährt er fort. „Und mir eine coole Band auf seinem iPod vorgespielt.“
„Noch was?“, frage ich, weil das alles so gar nicht nach Lukas ... *pardon* ... Lü-ka klingt.
„Ja, er hat mir Fotos auf seinem Laptop gezeigt.“

„Fotos? Was denn für Fotos?“ Ich wusste gar nicht, dass Mr Obercool Fotos auf seinem Computer hat. Wenn Mama Fotoalben rausholt, fängt er doch immer an zu gähnen.
„Von seiner Freundin Christi.“
Ups. Aha.
„Und von dir.“
Ups. Aha. Nee, ne?
Ich muss mich zusammenreißen, um nicht irgendwas total Unüberlegtes zu tun. Zum Beispiel in die Tischkante zu beißen. „Was denn genau für Fotos?“
„Von dir, als du noch ganz klein warst. Und wie du aussahst, als du zur Schule gekommen bist. Und ein Foto von dir und Lena, als sie noch ein Baby war.“
Jean-Pierre hat einen richtigen Glimmerblick bekommen und ich möchte mich am liebsten in Luft auflösen.
„Warum hat Lü-ka ... äh ... Lukas denn ...?“
Meine Güte! Was für ein Gestotter.
„Ich habe ihn gefragt, ob er Fotos von dir hat“, sagt Jean-Pierre, als sei es das Normalste von der Welt.
Peinlich berührt säbele ich wieder was vom Käse ab und stecke es mir in den Mund.
„Und wieso?“, frage ich kauend. Bestimmt klingt es wie: *Unvieschohh?*
„Also, weil ...“ Jean-Pierre grinst: „Keine Ahnung. Eben nur so.“
Nur so. Irgendwie kann ich das alles kaum glauben.

Aber eigentlich ist es auch pillepalle. Denn immerhin bedeutet es, dass ich Jean-Pierre nicht vollkommen egal bin. Und dass wir hier zu zweit sitzen und futtern bedeutet doch auch, dass ich für ihn nicht die hinterletzte Person unter der Sonne bin. Sonst würde er doch jetzt auf seiner Matratze liegen, Lü-ka beim Schnarchen zuhören und Schäfchen zählen.

„Du warst früher ganz schön frech, oder?", fragt er und grinst verschmitzt.

„Wer sagt das? Lukas?"

Jean-Pierre schüttelt den Kopf. „Lü-ka hat gesagt, dass du und dein Weiberzoo ... also, dass ihr manchmal ganz schön nervt."

Mit Weiberzoo meint Lukas meine drei besten Freundinnen Jette, Alina und Leonie. Total schmeichelhaft.

„Aber in Wirklichkeit hat er dich sehr gerne", fährt er fort.

„Bist du dir sicher?"

Jean-Pierre nickt. „Lü-ka hat dich *très* ... *très* ... sehr lieb! Du bist doch seine Schwester."

Ich muss mich erst mal sammeln. Weil ich megabaff bin. Nie hätte ich gedacht, dass Lukas so nett über mich spricht.

„Lü-ka hat ja auch Recht." Jean-Pierre beugt sich so weit vor, als wolle er jede einzelne Sommersprosse auf meiner Nase zählen. „Du bist ein ... *un papillon mignon*!"

Wie vom Blitz getroffen zucke ich zurück und starre auf meine Käsefinger. *Un papillon mignon, un papillon mignon* rattert es durch meinen Kopf. *Papillon* bedeutet *Schmetterling*, *mignon* süß. Aller Logik nach heißt *papillon mignon* dann *süßer Schmetterling*. Als mir das klar wird, rieselt ein gebirgskalter Bach durch mich hindurch und eine vulkanheiße Welle rauscht gleich hinterher. Das, was Jean-Pierre eben gesagt hat, ist nicht nur süß, das ist mega-giga-irre süß!
Er schlägt sich auf den Mund. „Oh ... äh ... ich ... Wartest du mal kurz, Mia?“
Natürlich warte ich. Wo soll ich auch hin? Ich könnte gerade mal in mein Bett, ins Badezimmer oder auf den Balkon fliehen. Aber selbst, wenn ich wollte, ich kann mich nicht mal rühren. Es fühlt sich an, als wäre ich am Küchenstuhl festgetackert.
Der süße Zahnspangenfranzose geht raus, seine Schritte verhallen auf dem Flur, dann ist es still. Nur die Küchenuhr tickt leise vor sich hin.
Ich grinse in mich hinein. Wie gut, dass Jean-Pierre im gleichen Moment wie ich aufs Klo musste. Denn eigentlich war es nach dem ersten Gestammel und Gestotter doch total schön. Und sein Kompliment das netteste, was ich je gehört habe. Mir wird immer noch ganz komisch, wenn ich bloß daran denke.
Wieder höre ich Schritte auf dem Flur, da ist Jean-

Pierre auch schon zurück. Hinter seinem Rücken hält er etwas versteckt.
„*Et voilà.*“ Er reicht mir einen himmelblauen Karton mit einer rosafarbenen Schleife.
„Was ist das?“, frage ich, als käme ich vom Planeten der Oberblödis, auf dem es nie Geschenke gibt.
„Mach's auf!“
Vorsichtig löse ich die Schleife, dann lüpfe ich langsam, wirklich MEGALANGSAM den Deckel. Ich fürchte mich vor dem Moment, in dem das Geschenk sichtbar wird. Vielleicht gefällt es mir ja nicht und dann müsste ich sagen, tut mir leid, süßer Zahnspangenfranzose, aber dein Mitbringsel ist echt hässlich.
Doch dann, doch dann, doch dann … halte ich ein Tagebuch in den Händen. Auf dem Buchdeckel ist ein bunt schillernder Schmetterling zu sehen und darunter steht in verschnörkelter Schrift: *Mon journal intime.*
Ich bin platt. Richtig briefmarkenplatt.
Jean-Pierre kennt mich nur ein klitzekleines bisschen und hat mir doch das mega-giga-irrste Geschenk meines Lebens gemacht.
Ich kann überhaupt nichts sagen, starre bloß auf den Schmetterling und kämpfe gegen aufsteigende Tränen an.
„Gefällt's dir nicht?“ Jean-Pierre klingt ganz kratzig. Als ich hochgucke, zuckt seine Hand wie ertappt zu-

rück. Ich glaube, er wollte sich gerade noch eine Scheibe Wurst schnappen.
„Doch, das ist ... das ist echt ... das ist richtig“, stottere ich.
„Was?“, will Jean-Pierre wissen und langt nun doch nach einer Scheibe Schinken.
„Das ist das schönste Tagebuch der Welt!“ Der Satz ist unfallfrei über meine Lippen gekommen und ich schäme mich nicht mal, dass ich die Nase hochziehen muss.
„*Vraiment?* Wirklich?“
„*Vraiment* und wirklich!“ Ich kichere leise in mich hinein. „Aber woher wusstest du, dass ich Schmetterlinge so mag und auch noch Tagebuch schreibe?“
„Dass du Schmetterlinge magst, sieht doch jeder. Und das andere ...“ Er zuckt mit den Schultern. „Du siehst eben aus wie ein richtiges Tagebuch-Mädchen.“
Ein Grinsen huscht über sein Gesicht und ich verkneife es mir zu fragen, wie genau denn Tagebuch-Mädchen aussehen. Ob sie mausbraune Haare und mausfellkurze Wimpern haben. Weil es auch egal ist. Ich bin megahappy, dass Jean-Pierre mir das wirklich schönste Geschenk der Welt gemacht hat. Ein Schmetterlingstagebuch!
Die Nacht klingt so wunderschön aus, wie ich es mir noch vor ein paar Stunden kaum hätte vorstellen können. Alles fühlt sich auf einmal kuschelig, muschelig und federleicht an.

Als wir wenig später (ohne uns noch die Zähne zu putzen) in unsere Zimmer gehen, sinke ich einfach nur happy in mein Bett.
„Mia?", tönt es schlaftrunken durch den Stoffvorhang.
„Was denn, Lena?"
Wieso schläft die kleine Kröte nicht?
„Das Leben ist eine Wunderkerze."
„Klar ist es das", erwidere ich, im nächsten Moment schnarcht meine kleine Schwester leise vor sich hin. Wahrscheinlich hat sie das eben auch nur im Traum gesagt, aber sie hat Recht. Das Leben *ist* eine Wunderkerze! Sanft fahre ich mit dem Finger über den Schmetterling auf dem Tagebuch, dann verstaue ich es leise in der Nachttischschublade und lösche das Licht.

Du *ast* ja keine Ahnung

Am nächsten Morgen scheint die Sonne und alle Zeichen stehen auf einen Happy-Feeling-Hamburg-Tag. Meine Eltern, Omi und ich wollen unserem Gast ein bisschen die Stadt zeigen, bevor morgen der Ernst des Lebens (die Schule) losgeht. Die Alster. Den Hafen. Und vielleicht essen wir irgendwo ein Eis.

Doch erst mal gibt es Frühstück. Frühstück ohne Omi (die frühstückt ja bei sich zu Hause), mit einer ausgeschlafenen Josefine (die krakeelt munter vor sich hin), mit einer plapperigen Lena (wahrscheinlich hat sie Quasselwasser getrunken), mit einem noch nicht anwesenden Bruder (er schläft), mit dem süßen Zahnspangenfranzosen und mit mir.

Jean-Pierre ist wohl auch noch halb im Land der Träume. Jedenfalls hat er kleine Schweinsäuglein à la Omi, als er in die Küche tapst.

„*Bonjour*, Jean-Pierre!", begrüßt Papi ihn und breitet seine Arme wie Riesenflügel aus. Nicht, dass er ihn gleich an sich drückt. Das wäre echt peinlich.

„Guten Morgen“, sagt Mami zum Glück ganz normal auf Deutsch. „Was möchtest du trinken?“
Jean-Pierre knautscht sich die Locken. *„Café au lait.“*
Ich gucke ihn total perplex an. Er trinkt schon Milchkaffee wie meine Eltern? Nicht mal Jette, die immer so auf megaerwachsen tut, kann sich dafür begeistern.
Es zuckt kurz um Mamis Mundwinkel, dann gießt sie heiße Milch und Kaffee in einem Becher zusammen.
„Merci, Madame Andrea“, sagt Jean-Pierre wieder, als wären meine Eltern Könige oder Adelige.
Ich lasse meinen Blick über den Frühstückstisch schweifen. Irgendein Heinzelmännchen hat Brötchen und Croissants geholt, sonst gibt es nur Butter, Honig und Marmelade – und das, was Jean-Pierre und ich bei unserem nächtlichen Fressgelage übrig gelassen haben. Im Klartext heißt das: eine Scheibe Salami, eine halbe Scheibe Schinken und ein kleines, wirklich SEHR kleines Stück Käse.
Zum Glück hat bisher keiner der Anwesenden ein Wort darüber verloren. Vielleicht ist es aber auch gar nicht weiter aufgefallen. Weil niemand von uns Käse und Aufschnitt frühstückt. Lena und ich essen Müsli, Josefinchen bekommt ihren Brei, Mami trinkt nur Milchkaffee, Papi isst ein Brötchen mit Honig und Jean-Pierre tunkt ein Croissant in seinen Erwachsenenkaffee.

So weit, so gut.
Doch dann hat mein wie immer morgenmuffeliger Bruder seinen Auftritt. Mit tropfnassen Haaren platzt er in die Küche, brummt *Moin*, dann fläzt er sich auf seinen Stuhl und schnappt sich ein Brötchen. Seine Augen flitzen über den Tisch. Hin und her, vor und zurück. Bei Mami bleiben sie schließlich hängen.
„Äh, wo ist denn der ganze Aufschnitt?“, fragt er, als wäre sie eine Art Auskunftsbüro.
„Durchs Fenster geflattert?“, gibt Mami zur Antwort. (Sehr gut, Mami!)
Jean-Pierre duckt sich, ich ducke mich automatisch mit ihm, aber da sagt Papi: „Lukas, iss doch erst mal, was noch da ist.“
„Grmpff“, macht mein Bruder und hortet alles Fleischige auf seinem Teller.
Eine Weile frühstücken wir schweigend, dann schwenkt sein Blick wieder zum Auskunftsbüro (Mami) und er fragt: „Aber gestern Abend war doch noch so viel Schinken da. Und von der Salami ...“
„Dann hatte wohl jemand Hunger“, fällt Mami ihm ins Wort. „Und wenn jemand in unserer Familie Hunger hat, darf er oder sie sich auch am Kühlschrank bedienen.“
Und das Auskunftsbüro zwei (Papi) ergänzt: „Nur bei den Süßigkeiten sollt ihr vorher fragen.“
Jean-Pierre nickt Papi flüchtig zu. Ich will mal stark

hoffen, dass er heute Nacht nicht noch einen zweiten Fressanfall bekommen und zu allem Überfluss die Vorratsbox mit den Süßigkeiten geleert hat.
„Mia, warst duuuu heute Nacht am Kühlschrank?“, fragt Lena.
Manchmal könnte ich meine kleine Schwester echt schütteln!
„Häh, wieso?“ Ich starre in meine Müslischale.
„Weil du ewig lange nicht im Bett warst.“
Jetzt würde ich sie am liebsten briefmarkenplatt machen.
„Woher willst du das denn wissen? Du hast doch geschlafen.“
Jemand, der mir schräg gegenübersitzt, räuspert sich. Dieser Jemand ist der süße Zahnspangenfranzose und sagt jetzt: „Tut mir ... äh ... leid, ich hatte heute Nacht Hunger. Und dann habe ich Mia ... äh ... *pardon* ... überredet, mit mir ... äh ... was mit mir zu essen.“
Der Stotteranfall ist vorüber, aber ich möchte vor Peinlichkeit am liebsten im Erdboden versinken. Hoffentlich fragt keiner der Anwesenden, wieso Jean-Pierre und ich auf die Idee kommen, uns ausgerechnet mitten in der Nacht in der Küche zu treffen. Das wäre richtig schrecklich.
Aus dem Augenwinkel sehe ich, dass sich Mami und Papi verstohlen angrinsen.

„Kein Problem“, erklärt Mami. „Morgen mache ich doch sowieso den Großeinkauf für die Woche.“
Lukas zieht einen Strichmännchen-Mund. Die Aussicht, ganze 24 Stunden lang auf seine heiß geliebte Wurst zu verzichten, scheint ein Albtraum für ihn zu sein.
„Jetzt stell dich nicht so an, Lukas“, schaltet sich Papi ein, „du wirst schon nicht verhungern.“
Mein großer Bruder nickt, dann bunkert er ein Croissant und ein Brötchen auf seinem Teller. Fehlt nur noch, dass er sich ein weiteres Brötchen in die Hosentasche stopft.
Während wir endlich ruhig und friedlich und ohne Futterneidattacken frühstücken, fragen meine Eltern Jean-Pierre aus. Was wir alles über ihn erfahren:
1. Jean-Pierre ist vierzehn und lebt mit seinen (geschiedenen) Eltern in der Nähe von Paris. Dass sein Vater vor kurzem wieder bei ihm und seiner Mutter eingezogen ist, wusste ich noch nicht.
2. Er spricht so gut Deutsch, weil er schon mal ein paar Jahre in Dresden gelebt hat, wo sein Papa ein französisches Restaurant geleitet hat. (Das wusste ich schon.)
3. Er ist hier, um sein Deutsch aufzufrischen. Das wussten wir alle schon, sonst hätten wir ihn kaum eingeladen. Wobei ich mich wirklich frage, ob er das überhaupt nötig hat. Er spricht doch supertruper.

Und seinen süßen französischen Akzent soll er auf jeden Fall behalten.
4. Er will später mal Jura studieren, um ein ganz toller Anwalt zu werden und den Menschen zu helfen. (Das wusste ich auch noch nicht, finde es aber spannend.)
5. In seiner Freizeit spielt er Cricket und Fußball und er klettert. (Davon hat er noch nie erzählt.)
6. Er daddelt nicht nur blöd auf seinem Smartphone rum, sondern lernt mit einer App Vokabeln. (Das findet Papi toll, klar.)
7. Alle zwei Wochen liest er alten Menschen im Seniorenheim freiwillig etwas vor. (Das finden wir alle mega-giga-irre.)
8. Fazit: Er ist der absolute Vorzeigefranzose!

Kaum haben wir aufgegessen, klingelt es. Im nächsten Moment wird die Haustür aufgeschlossen und ich höre Omi Olgas tirilierende Stimme: „Hallöchen, ihr Lieben! Wir sind's nur!"

Wir – das sind sie und ihr Lebensgefährte Diego Kranfelder. Diego ist mein Mathenachhilfelehrer und ein richtig lässiger Typ. Er ist viel jünger als meine Omi und sieht mit seiner römischen Hakennase und dem lustigen Ziegenbart ziemlich beeindruckend aus. Neben seinem Job als Nachhilfelehrer arbeitet er auch noch als Barkeeper und Taxifahrer. Aber das Tollste an ihm ist, dass er in einer Fabriketage wohnt, wo er Objektkunst aus Schrott herstellt.

„Olga, wir sitzen in der Küche!", ruft Mami.
Absätze klackern übers Parkett, dann stehen Omi und ihr Freund in der Tür.
„*Bonjour!* Guten Morgen allerseits!", flötet Omi. „Alle wohlauf?"
Wir nicken der Reihe nach, Jean-Pierre grinst dazu sein total süßes Zahnspangengrinsen und murmelt ein wunderschön klingendes *Bonjour.*
Omi deutet auf Jean-Pierre. „Sieh nur, Diego. Das ist Jean-Pierre. Der bezaubernde, entzückende, reizende Franzose."
Lena gluckst albern, Omi strahlt, Jean-Pierre tut gar nichts (außer Omi anzustarren) und ich möchte mich am liebsten in Luft auflösen. Bezaubernd, entzückend, reizend – ist Omi eigentlich noch ganz zu retten? Das klingt ja, als wäre sie schwer in ihn verknallt.
„Hi, Jean-Pierre. Ich bin Diego." Mein Nachhilfelehrer hakt die Daumen lässig in die Schlaufen seiner Jeans. „Ich bin wahrscheinlich nicht ganz so bezaubernd und reizend, aber ich komme auch so ziemlich gut durchs Leben."
Jean-Pierre lacht und begrüßt Diego mit Handschlag. Damit ist der steife Teil des Vormittags zum Glück zu Ende. Mami bietet den beiden Klappstühle an, Papi Kaffee. Zu essen ist ja nun wirklich nichts mehr da.
Während Diego einen schwarzen Kaffee mit viel Zucker nimmt (er ist richtig süchtig danach), fragt Omi:

„Ihr wollt Jean-Pierre doch heute ein bisschen was von der Stadt zeigen, oder?"

„Ja", sagen Mami und Papi wie aus einem Mund.

„Diego würde die Kinder gerne im Taxi kutschieren", fährt Omi fort, als wären ihrem Freund plötzlich die Vokabeln ausgegangen. „Wir können dann ja in eurem Auto hinterherfahren."

„Au prima!", ruft Lena.

„Au fein!", krakeele ich.

„Hm, von mir aus", brummt Lukas.

„Kwschhhhh mmpffff sssshhhhh!", brabbelt Josefinchen und haut begeistert mit dem Löffel auf den Tisch.

„Sehr schön", sagt Papi. „Dann muss ja niemand zu Hause bleiben."

„Kann Jette noch bei euch mitfahren?", frage ich.

Mama zieht die Stirn kraus. „Ich wollte dir gerade vorschlagen, dass wir in der Stadt Kuchen kaufen und deine Freundinnen heute Nachmittag zu uns einladen. Na, wäre das was?"

„Mhm, okay", brumme ich und schreibe meinen Freundinnen schnell eine SMS.

Eigentlich wäre es ja auch ungerecht, wenn nur Jette bei dem Ausflug dabei sein dürfte, geht es mir durch den Kopf, als wir uns kurz darauf für den Stadtausflug fertig machen. Alina und Leonie kennen Jean-Pierre nur von meinen Erzählungen und brennen bestimmt darauf, ihn endlich kennenzulernen.

Mitten ins Aufbruchskuddelmuddel hinein bimmelt mein Handy. Es ist Jette.
„Miss Butterfly, unternehmt ihr jetzt was mit Jean-Pierre?“, fragt sie mit ihrer typischen Aushorchstimme.
„Äh, ja, wir fahren ein bisschen mit dem Auto durch Hamburg“, antworte ich wahrheitsgemäß. Mir bricht es fast das Herz, das sagen zu müssen.
„Ach so. Aha. Mhm, schön.“
Ich sehe förmlich ihr enttäuschtes Gesicht vor mir. Und wie ihre blonden Haare von Sekunde zu Sekunde an Glanz verlieren.
„Wart mal kurz.“ Ich halte den Lautsprecher zu. „Mami? Kann Jette nicht doch mitkommen? Ich glaub, sie fühlt sich einsam.“
Mami legt Josefinchen lächelnd in den Tragekorb. „Na klar. Sie soll in zehn Minuten vorm *Café Luise* warten.“
„Yippie!“, kreische ich, woraufhin Jean-Pierre mich ansieht, als wäre der Wahnsinn in mich gefahren. „Jette, du sollst in zehn Minuten vorm *Café Luise* warten“, sage ich in das Telefon. „Schaffst du das?“
„Ich fliege!“, schreit sie in mein Ohr und legt auf.
Jean-Pierre ist zwar *mein* Gast, aber irgendwie unser gemeinsamer Freund. Außerdem kann ich es nicht leiden, wenn Jette unglücklich ist. Denn wenn sie unglücklich ist, bin ich es auch.

Hammer!

Diegos gelbes Taxi gleitet durch Hamburgs Straßen. Jean-Pierre sitzt zwischen Lena und mir auf der Rückbank, Lukas hängt wie ein Besoffener im Vordersitz. Neuerdings fläzt er sich überall so hin. Vielleicht soll das lässig aussehen, keine Ahnung.

Papis Auto folgt uns mit einigem Abstand. Jedes Mal, wenn ich mich umdrehe, winkt Jette mir von der Rückbank aus zu und lacht fröhlich.

Eben sind wir kreuz und quer durch Eimsbüttel gejuckelt, jetzt fahren wir über Eppendorf und Winterhude Richtung Alster. Das ist ein Nebenfluss der Elbe, der allerdings wie ein See aussieht.

Jean-Pierre guckt die ganze Zeit aus dem Fenster und staunt. Die Stadt ist ja so grün. Und die alten Häuser sind so schön.

„Ein See mitten in der Stadt! Mit so viel Segelbooten!“, ruft er aus und ich bin mit einem Mal richtig stolz. Als hätte ich Hamburg erfunden, die schöne Stadt im Norden.

„Mami und ich sind schon mal ganz rumgelaufen“, erzählt Lena. „Das dauert aber richtig lange.“
„Wollt ihr vielleicht ein bisschen spazieren gehen?“ Diego wirft uns einen minikurzen Blick über die Schulter zu.
Jean-Pierre zuckt mit den Achseln, dann guckt er unsicher zu mir rüber.
Ich will nicht spazieren gehen. Ich will mich bloß neben ihm in die weichen Taxisitze kuscheln und mich darüber freuen, dass er sich so freut. Auch Lena mag es lieber bequem und schaut sich schöne Dinge gerne durch eine Glasscheibe an. Und Lukas ist sowieso der Letzte, der Hurra schreit, wenn langweilige Spaziergänge auf dem Programm stehen.
Also sage ich: „Fahr ruhig erst mal weiter, wir steigen ja gleich noch am Hafen aus.“
„*Aafen?* Wir fahren zum *Aafen?*“, fragt Jean Pierre mit seinem süßen französischen Akzent.
„Ja, zum *Aafen*“, meldet sich mein Bruder vom Vordersitz aus zu Wort.
Ich finde es ziemlich gemein, dass er Jean-Pierre nachäfft. Das sollte ihm mal passieren, wenn er in Frankreich zu Besuch ist und die Franzosen seinen harten deutschen Akzent auf die Schippe nehmen.
Weiter geht unsere Besichtigungsfahrt durch die Stadt. Diego umrundet die Außenalster, wir zeigen Jean-Pierre die Binnenalster im Stadtzentrum, dann

geht es an dem Park *Planten un Blomen* vorbei. Noch ein paar Minuten und wir sind schon auf der Reeperbahn, der Amüsiermeile Hamburgs. Hier soll es abends ziemlich hoch hergehen, doch um diese Uhrzeit ist noch nichts los. Nur ein paar Schlaffis schlurfen schlaff umher.

Und dann ist es endlich so weit: Der Hafen liegt in seiner ganzen Pracht vor uns. Wir sind an den Landungsbrücken, wo die Passagierschiffe ankommen und auch wieder ablegen.

Jean-Pierre hält es kaum noch im Wagen. Seine Arme tanzen ein Luftballett und er überschüttet uns mit einem Wortschwall auf Französisch, von dem ich nicht mal einen Bruchteil verstehe. *Bateau* kommt darin vor, was *Schiff* bedeutet und *complètement fou*, das heißt *total verrückt*.

„Das ist nur ein Hafen“, beschwichtigt ihn Lukas. „Da gibt es meistens Schiffe. Kein Grund, so auszuflippen.“

Lena kichert, und bevor Jean-Pierre tatsächlich noch verrückt wird, hält Diego kurz an einem Taxistand. „Raus mit euch!“

„Echt jetzt?“, frage ich.

„Ja, ihr wartet hier. Ich such nur schnell einen Parkplatz.“

Wir steigen aus und die Großstadt umtost uns. Autos düsen vorbei, Touristen schlendern vorüber, in der Ferne tutet das Nebelhorn eines Dampfers.

Jean-Pierre reckt sich auf die Zehenspitzen, legt die Hand über die Augen und heftet seinen Blick in die Ferne. Er grunzt, stöhnt und lacht, alles irgendwie gleichzeitig, dann läuft er ein paar Meter vor und dreht sich nach uns um: „Bin gleich wieder da."
„Hey, hiergeblieben!", rufe ich, aber er hört nicht, sondern flitzt einfach weiter.
„Wartet kurz", sage ich zu Lena und Lukas und renne hinter ihm her. Ein paar Hechelsekunden später habe ich ihn eingeholt.
„Wenn ich hier leben würde, wäre ich bestimmt jeden Tag am *Aafen* und würde ..." Jean-Pierres Stimme klingt kratzig und er lächelt ein zuckersüßes Schaumkusslächeln.
„Was würdest du?"
„Keine Ahnung. Einfach nur rumlaufen."
„Aber du lebst in Paris", entgegne ich. „Paris muss die absolute Knüllerstadt sein."
„Paris ist laut und schmutzig."
„Hamburg auch."
Jean-Pierre schüttelt den Kopf. „Du *ast* ja keine Ahnung!"
Gut, dann *abbe* ich eben keine Ahnung, aber dass Jean-Pierre zielsicher den Schiffsanleger ansteuert, wo gerade eine Fähre vertäut wird, ist überhaupt nicht gut.
„Komm, Mia!"

„Wo willst du hin?“
„Nur mal gucken.“
„Was gucken?“
Aber Jean-Pierre antwortet nicht. Stattdessen packt er mich am Ellbogen und lächelt mich wieder schaumkusszuckrigsüß an. Keine Ahnung, warum, aber das Lächeln macht mich komplett wehrlos. Anders ist es nicht zu erklären, dass ich mich zehn Schwitzsekunden später auf einer Fähre befinde, die genau in dem Moment, als wir einen Fuß hineingesetzt haben, ablegt und lostuckert.
„Oh no!“, stöhne ich. Mein Happy-Feeling-Barometer sackt blitzschnell in den Keller.
„*Mais oui!* Wo ist die Problem?“
Die oder das Problem ist, dass wir mit Lukas und Lena am Anleger warten sollten und uns jetzt ohne Lukas und Lena und auch ohne Fahrkarte auf einer Fähre nach sonst wohin befinden. Das ist mega-giga-irre furchtbar. Mami und Papi machen uns garantiert briefmarkenplatt, falls wir in diesem Leben noch mal zu den Landungsbrücken zurückfinden. Andererseits ist es aber auch mega-giga-irre schön – nur mein Besuch und ich ganz allein in der Stadt unterwegs.
„Mia, guck mal! Das große Schiff da!“ Jean-Pierre blinzelt angestrengt in die Ferne.
Tatsächlich. Ein Ozeanriese gleitet vorbei. An Bord

stehen winzig kleine Menschen und winken. Ich winke automatisch zurück, bin aber nicht ganz bei der Sache. Meine Gedanken purzeln wild durcheinander.
Was ich alles denke:
1. ist es ziemlich überflüssig, dass wir hier wie die Oberhirnis auf der Fähre stehen, nach sonst wohin fahren und vielleicht gleich beim Schwarzfahren erwischt werden.
2. hätten Mami und Papi wahrscheinlich sowieso noch eine Hafenrundfahrt mit uns gemacht. Da würde Jean-Pierre viel mehr vom Hafen sehen als jetzt.
3. weiß ich nicht, wie er überhaupt auf die Idee gekommen ist, auf diese behämmerte Fähre zu gehen.
4. weiß ich erst recht nicht, wieso ich hinterhergetapert bin.
5. ist es ganz schön aufregend, allein mit dem süßen Zahnspangenfranzosen durch den Hafen zu tuckern.
6. wird mir klar, warum sein Onkel ihn damals zu dem Praktikum im Berliner Hotel verdonnert hat. Weil er nämlich ab und zu ziemlichen Mist baut.
7. Von wegen Vorzeigefranzose!
Bevor ich Gedanken acht denken kann, bimmelt mein Handy. Mami.
„Mia, um Himmels willen, wo steckt ihr denn? Lukas und Lena meinten …“
Im nächsten Moment ist ihre Stimme auch schon wieder weg. Ich starre auf mein Handy. Der Akku ist leer,

die Stimme meiner Mami trudelt jetzt haltlos durchs Nirwana. Ich fasse es nicht!
Ich gucke zur Seite, aber Jean-Pierre hält seine Nase in den Wind und tut, als habe er von alldem nichts mitbekommen. Vielleicht hat er auch wirklich nichts mitgekriegt. Weil ihn der *Aafen* so fasziniert.
„Jean-Pierre, gib mir mal dein Handy."
„Häh?"
„Dein Handy." Ich strecke die Hand aus, doch er schüttelt nur den Kopf und stottert ein paar französische Silben, die bestimmt nicht mal Frau Hübsch verstehen würde.
„Meine Mutter hat angerufen, aber der Akku von meinem Handy hat seinen Geist aufgegeben."
„Geist aufgegeben?"
„Der Akku ist leer! Hab keinen Saft mehr! Verstehst du?"
Jean-Pierre nickt. „Ich hab meins leider nicht dabei, *pardon*. Ich stecke es nur selten ein."
Dafür schipperst du wohl häufiger durch unbekannte Häfen, denke ich.
Eigentlich wäre dies hier die Gelegenheit, ein supertruper Abenteuer zu erleben. Und ich hätte auch kein Problem damit, wenn sich das Abenteuer zum Beispiel damals in Berlin ereignet hätte, als ich nicht meine ganze Family im Schlepptau hatte. Jetzt ist es einfach nur megablöd.

„Und nun?“, frage ich mit Blick auf den riesigen Dampfer.
Jean-Pierres Zahnspange blinkt und seine vollmilchbraunen Augen blitzen, als er sagt: „Kein Problem, *Mademoiselle* Mia. Wir steigen gleich wieder aus und fahren mit dem nächsten Boot zurück. Das dauert bestimmt nicht lange.“
Vielleicht. Aber wahrscheinlich kriegt Mami genau in diesen paar Minuten einen Anfall, Papi regt sich tierisch auf, meine Geschwister sind megagenervt und Jette ist sowieso superenttäuscht, dass *Mademoiselle* Mia einfach zu Jean-Pierre aufs Boot gestiegen ist.
Zum Glück legt die Fähre kurze Zeit darauf an der Elbphilharmonie an. Wir steigen aus und ergattern bloß drei Minuten später ein Boot, das denselben Weg zurückfährt. Vorher haben wir es sogar noch geschafft, von meinem Taschengeld zwei Fahrkarten zu lösen. Noch mal schwarzfahren – das hätte ich nicht überlebt.
Während mir immer mulmiger zumute wird – Mami und Papi werden bestimmt ausrasten –, grinst Jean-Pierre immer noch megahappy vor sich hin. Für ihn ist das alles wohl bloß eine total spaßige Angelegenheit. Für mich nicht. Er zieht mich nämlich gerade mit in eine Sache rein, die für uns beide unschön ausgehen könnte. Schlimmstenfalls brechen meine Eltern den Ausflug gleich wieder ab.
Die Minuten vergehen. Keine Ahnung, wie lange wir

so dahintuckern. Die Anlegestelle rückt näher und näher und dann sehe ich meine Leutchen wie die Orgelpfeifen dastehen. Ganz links Diego und Papi, daneben Mami mit Josefinchen auf dem Arm, an ihrer Seite Lukas, Omi und Jette. Ganz außen hüpft Lena wie ein Flummi auf und ab und schwenkt die Arme. Wahrscheinlich hat sie uns mit ihren scharfen Luchsaugen als Erste entdeckt.
Die Fähre legt an und ich steige mit Wackelbeinen aus. Mir ist ganz schön kodderig zumute. Als wäre das Boot nicht gemütlich durch den Hafen geschippert, sondern bei Windstärke 10 durch den Ozean getanzt.
Aber was ist das? Papi winkt freudig, Mami lächelt, als hätte sie gerade eine Tafel Vollmilchschokolade verputzt, und Omi flattert in ihrem schreibunten Gewand auf uns zu. Im nächsten Moment herzt und drückt sie uns, als wären wir jahrzehntelang verschollen gewesen. In Wahrheit waren wir gerade mal eine halbe Stunde weg. Jean-Pierre weiß wohl auch nicht, wie ihm geschieht, und macht sich in Omis Armen ganz steif.
„Wo wolltet ihr denn hin?“
„Herrje, also wirklich …“
„Ihr habt uns vielleicht einen Schrecken eingejagt!“, rufen die Erwachsenen durcheinander.
Doch anscheinend erwartet niemand eine Antwort. Papi kramt in seinen ausgebeulten Cordhosen nach

irgendwas, Mama streicht Josefinchen die verschwitzten Ponyhaare aus dem Gesicht, Lukas wickelt ein Kaugummi aus, Lena steckt sich eine rosafarbene Glitzerhaarspange ins Haar, Diego zwirbelt seinen Ziegenbart und dann tiriliert Omi: „So, ihr Lieben. Auf den Schrecken gibt's erst mal ein Eis. Ich lade euch ein."
Das lassen wir uns nicht zweimal sagen und dackeln hinter Omi Olga und Diego her zum Kiosk.
Während Jean-Pierre und mein Bruder über Jungssachen reden (Schiffe, Seemannsknoten und Riesenkräne), zupft Jette an meiner Wind-und-Wetter-Jacke. *Komm mal mit*, soll das heißen.
Wir verschwinden hinter dem Kiosk und Jette quietscht wie ein Luftballon, aus dem man die Luft rausgelassen hat: „Sag mal, spinnst du? Was wolltet ihr denn auf der Fähre? Knutschen oder was? Mensch, Miss Butterfly, ich wäre fast durchgedreht vor Angst! Ich dachte schon, jemand hätte euch entführt!"
Entführt – alles klar. Ich zeige ihr einen Vogel, dann erzähle ich, was passiert ist. Wie Jean-Pierre, obwohl er ja sonst immer so erwachsen ist, wie ein voll vertrotteltes Baby auf die Fähre gestolpert ist und …
„Du bist ja offensichtlich wie ein voll vertrotteltes Baby hinterhergestolpert", fällt Jette mir ins Wort.
„Hätte ich ihn etwa allein im Hafen herumfahren lassen sollen? Er kennt sich hier doch gar nicht aus."
„Aber du. Schon klar."

Lena kommt mit drei Eis zu uns rüber. „Ihr wollt ja keins, oder? Ich schaff auch alle drei."

„So weit kommt's noch!" Ich nehme meiner Schwester zwei Eis aus der Hand und gebe Jette eins davon ab. Dann schlendern wir weiter, immer die Hafenpromenade entlang. Frachter gleiten vorüber, Möwen kreischen und Papi hält einen Vortrag über die Geschichte des Hamburger Hafens. Es geht um die Hanse, um den Seeräuber Klaus Störtebeker und um den Handel mit Amerika, der 1782 begann. Jean-Pierre saugt jedes Wort auf.

Von mir aus, soll er nur. Jette und ich nutzen den Moment und laufen ein Stück vor. Ich glaube, wir brauchen beide ein paar Verschnauf-Minuten.

„Wie war eigentlich deine erste Nacht mit Jean-Pierre?", fragt Jette. „Heißblütig?"

„Nee, bibberkalt. Wir saßen mit nackten Füßen in der Küche und haben gefuttert."

„Ihr habt was?", schreit Jette so laut, dass ich ihr den Mund zuhalte.

„Was gegessen. Jam, jam machen. Happa, happa", sage ich. „Jean-Pierre hatte Hunger. Er mochte Mamas Zwiebelsuppe nicht."

Jette kichert. „Dann ist er vielleicht gar kein waschechter Franzose."

„Du meinst, jeder Franzose muss Zwiebelsuppe mögen?"

„Klar. So wie jeder Franzose auch sein Croissant in den Kaffee tunkt.“
Jetzt muss ich kichern.
„Und was ist daran so witzig?“, will Jette wissen.
„Jean-Pierre hat genau das gemacht.“
„Was? Er trinkt Kaffee?“ Jette bekommt murmelrunde Augen und vergisst ganz, ihr Eis zu essen.
„Ja, tut er. Abgesehen von der Sache mit der Fähre ist er eben doch nicht so babyhaft wie die Jungs aus unserer Klasse.“
Jette nickt beeindruckt. „Vielleicht sollte ich auch mal Kaffee trinken.“
Omi Olga klatscht in die Hände und ruft: „Habt ihr Hunger, Kinder? Also, mein Magen knurrt schon richtig.“
Ich schlecke zwar noch mein Eis, aber wenn das in etwa zweieinhalb Minuten in meinem Magen verschwunden sein wird, könnte ich schon etwas Herzhaftes vertragen. Auch die anderen sind einverstanden – vor allem Lukas. Der hat ja immer Hunger.
Wir machen uns auf den Weg, überqueren an einer Ampel die belebte Verkehrsstraße, die am Hafen entlangführt, und tauchen in das Straßengewirr von St. Pauli ein. Es geht ein ganzes Stück geradeaus, dann biegen wir links in eine Gasse mit Hubbelpflaster ein und stehen kurz darauf vor einem süßen kleinen französischen Restaurant. Drinnen ist alles noch viel süßer

und kleiner. Selbst der steinalte Kellner, der Jean-Pierre sofort wasserfallartig vollquatscht und uns die Jacken abnimmt, sieht irgendwie süß aus. Jean-Pierre antwortet genauso wasserfallartig, dann suchen wir uns den schönsten Platz aus (den am Fenster). Und weil Jean-Pierre laut Omi Olga *so flott mit dem Französischen dabei ist*, soll er für uns alle bestellen.
„Ich?", fragt Jean-Pierre.
„Ja, du! Du kennst dich doch bestens mit französischem Essen aus."
„Ich ... ich weiß nicht."
„Aber du hast doch bestimmt ein Lieblingsgericht", meint nun auch Mami.
„Oui, oui." Jean-Pierres Kopf wackelt auf und ab. „*Escargots et cailles* sind ziemlich lecker."
„Was soll das denn sein?", will Jette wissen.
„Krieg ich Pommes?", nölt Lena, bevor Jean-Pierre antworten kann.
„Ist das was vom Tier?", fragt Lukas, woraufhin Jean-Pierre nickt und ein gequetschtes *Oui, oui* hinterhernuschelt.
„Très bien!", ruft Omi dem Kellner. „Dann hätten wir gerne *escargots* und *cailles* für alle." Dazu bestellt sie einen *guten, nein, den allerbesten* Rotwein für sich, Schorle für uns Kinder und diejenigen, die ab und zu noch Josefinchen stillen (Mami) oder Auto fahren müssen (Diego und Papi).

Vorweg gibt es Baguette mit Kräuterbutter. Obwohl ich ja schon das Eis intus habe, greife ich immer wieder zu. Die Weißbrotschnittchen schmecken megalecker und so lässt es sich auch besser aushalten, dass Papi schon wieder wie Mr Oberschlau über den Hafen redet. Inzwischen ist er immerhin in der Jetztzeit angekommen und erzählt, dass der Bau der Elbphilharmonie ursprünglich mal 77 Millionen Euro kosten sollte, nun aber 789 Millionen Euro verschlingen soll.

„Hammer!", stöhnt Jette.

„Hammer!", stöhne ich hinterher.

„*Ammer!*", stöhnt Jean-Pierre als Letzter.

Josefinchen ist da wohl ganz unserer Meinung, jedenfalls brabbelt sie irgendwas Unverständliches und haut dazu rhythmisch mit ihrem Patschhändchen auf den Tisch. Ich wette, sie wird später mal Schlagzeugerin. Lena ritzt mit dem Messer Muster in die Tischdecke (ein Zeichen, dass sie sich langweilt). Jette malt mit der Gabel Herzen in ihre Serviette. (Ein Zeichen, dass sie verknallt ist? Oh Hilfe! Wehe, Jean-Pierre hat es ihr angetan!) Omi Olga lauscht Papi und streichelt dabei Diegos Hand. Mami bemüht sich, Josefinchen zu bändigen. Und ich schiele ab und zu zu Jean-Pierre rüber, der auch im Profil total süß aussieht, und freue mich schon wie verrückt auf das französische Essen. Vielleicht schmeckt es ja so lecker wie die *Quiche*

Lorraine, die wir während einer französischen Projektwoche in der Schule zubereitet haben. Die war so köstlich, dass ich noch Tage danach *Jam, jam, jam!* rufend durch die Gegend gelaufen bin.
Dann steht plötzlich der Kellner mit einer wagenradgroßen Platte am Tisch und schmettert wie ein Opernsänger: *„Et voilà! Les escargots, Mesdames, Messieurs!“*
„Ihh!“, kreischen Lena und Jette, als er die Platte auf den Tisch stellt.
„Bröh!“, macht Josefinchen.
„Ahh!“, ruft Mama.
„Ach ja, stimmt“, murmelt Papi und kratzt sich am Kopf.
„Oh“, sagt Diego.
„Äh“, sage ich.
„Wieso, was habt ihr denn?“, will Omi wissen und fischt die Brille aus ihrer Briefträgertasche. Ohne die ist sie blind wie eine Kaulquappe im Schneesturm. Sie setzt sie auf und beugt sich vor. „Oh, das sind ja Schnecken!“ Ihr forschender Blick geht zu Jean-Pierre.
„Oui, escargots.“ Jean-Pierre lächelt, aber seine vollmilchbraunen Augen blitzen nicht wie sonst. „Tut mir leid, wenn ich …“
„Dir muss gar nichts leidtun, mein Junge“, erwidert Omi. „Schnecken sind köstlich! Und die werden jetzt gegessen.“

Schon schnappt sie sich unsere Teller und füllt uns der Reihe nach auf. Während Jean-Pierre *Bon appétit* murmelt und gemeinsam mit Omi drauflosfuttert, starren wir anderen bloß auf unsere Teller. Anscheinend hat plötzlich niemand mehr Appetit.
Aber dann greift Lukas zur Gabel, zieht das kleine Krabbelvieh aus dem Gehäuse und schiebt es sich in den Mund.
„Hm, gar nicht so übel", sagt er und knöpft sich auch noch eine zweite Schnecke vor. Danach eine dritte und auch noch eine vierte. Ich kann mich bloß über meinen großen Bruder wundern, der inzwischen so viele Gemeinsamkeiten mit Jean-Pierre hat, dass ich fast schon eifersüchtig bin.
In meinem Magen rumpelt es von Sekunde zu Sekunde heftiger. Von wegen köstliche *Quiche Lorraine*! Die Schnecken sehen einfach nur mega-giga-irre eklig aus!
„Vielleicht mag Josefinchen ja mal probieren", versuche ich einen Scherz.
Doch niemand lacht.
Gefühlte Ewigkeiten später räumt der Kellner die Schneckenteller in schneckenhaftem Tempo ab. Und damit geht die Katastrophe erst richtig los. Der Hauptgang. Auf den Tellern, die gebracht werden, liegt jeweils ein Mini-MINI-Huhn, gebettet in ein Mini-MINI-Häufchen Gemüse. Allerdings ist das

Huhn wirklich dermaßen mini, dass man es kaum Huhn nennen kann. Daneben gibt es noch ein drittes Mini-MINI-Häufchen, das wie gehackte Petersilie aussieht.

Ratter, ratter, ratter, macht es in meinem Hirn. Wenn das Huhn kein Huhn ist, dann ist es ... ist es ... etwa ein Vogel? Ich gucke zu Jette rüber, die mit angewidertem Blick auf ihren Teller starrt. Wahrscheinlich beschlägt gleich noch ihre Brille.

„Das ist jetzt aber kein Vogel, oder?“, flüstere ich ihr zu.

„Ein Vogel?“, kreischt Jette. „Ich esse keine Vögel!“

Alles klar. Wenn sie mit ihren Eltern in ein nobles Restaurant geht, gibt es manchmal auch kleine Vögel in schaumiger Soße. Und die rührt sie dann nie an.

„Ich auch nicht!“ Das war Lena, ebenfalls kreischend.

„Kinder, nun beruhigt euch mal wieder“, sagt Omi. „Das sind doch ganz leckere Wachteln. Nicht wahr, Jean-Pierre?“

Der nickt, als hätte er einen Wackelkontakt im Kopf. „*Oui, oui!* Das ist bei uns eine *spécialité*.“

Lukas beugt sich vor und seine Nase schwebt über dem kleinen kross gebratenen Vogel. „Riecht doch lecker. Ist vielleicht ein bisschen wenig dran. Davon wird ja nicht mal der Weiberzoo satt.“

Jette schießt mit ihren Augen kleine Giftpfeile auf meinen Bruder ab. Mir macht es ja nichts aus, wenn

mein Bruder mich so bezeichnet, aber Jette war schließlich mal in ihn verknallt. Das tut bestimmt ganz schön weh.
Drei Teller bewegen sich gleichzeitig auf Lukas zu: Jettes, Lenas und meiner.
Mami legt ein verkrampftes Grinsen auf und sagt: „Ihr esst doch auch Hähnchen. Was ist da jetzt so groß anders?“
„Dass es Wachteln sind?“, entgegnet Jette und stößt Jean-Pierre in die Rippen. „Ist das echt dein Lieblingsessen?“
„Eigentlich ... äh ... mag ich Pommes und Pizza auch lieber, aber ich dachte ...“ Er kratzt sich verlegen am Kopf. „Ich wollte eben was richtig typisch Französisches bestellen.“
„Das ist Jean-Pierre auch gelungen“, erklärt Papi. Er pickt das Gemüse von seinem Teller, dann steht er plötzlich auf und verschwindet im hinteren Teil des Restaurants.
„Wo willst du denn hin, Thomas?“, ruft Omi Olga ihm nach.
„Pinkeln. Darf ich?“
Jette kichert, Lena gluckst leise und ich denke: Wieso kann an diesem ersten Ausflugstag mit Jean-Pierre nicht mal irgendwas normal laufen? Jetzt weiß alle Welt im Lokal, dass mein Papi mal *pinkeln* muss. Peinlich, peinlich.

„Hm, schmeckt wirklich sehr gut“, sagt Mami nach dem ersten Bissen.
„Gut?“ Omis dicker Busen liegt beim Essen halb auf dem Tisch. „Das schmeckt himmlisch! So zart, das Fleisch.“
Während Diego sich nun auch traut, ist mein Bruder bereits mit seiner Wachtel fertig und macht sich über meine her. Danach vertilgt er Lenas Vogel und von Jettes Portion gibt er Jean-Pierre gönnerhaft einen Happen ab. Aber auch Jette und ich müssen nicht verhungern. Wir haben ja das leckere Baguette und die Kräuterbutter.
So weit das Mittagessen. Doch das dicke Ende kommt erst noch. Und zwar in Form einer Rechnung, die Papi, der brav seinen Teller leer gegessen hat, glatt den Schweiß auf die Stirn treibt. Ich weiß nicht genau, wie viel wir bezahlen müssen, aber wahrscheinlich könnte man für das gleiche Geld ein Traumhaus auf den Malediven kaufen.
„Ups“, sagt Omi, die ihre Lesebrille aufgesetzt und einen Blick darauf geworfen hat. Mit einem Ruck zieht sie die Rechnung zu sich heran.
„Wie viel ist es denn?“, will Diego wissen und zückt schon sein Portemonnaie.
„Ich lade euch ein – und basta.“ Omi stemmt sich am Tisch hoch. „Ich hab doch neulich im Lotto gewonnen.“

Während sie wieselflink zur Theke läuft, starren wir ihr mit offenem Mund nach.
„Wie bitte?", frage ich. „Omi hat im Lotto gewonnen?"
„Ist mir auch neu", sagt Papi.
„Ja, hat sie", entgegnet Diego und kann sich ein Grinsen nicht verkneifen. „Elf Euro."
„Das reicht ja gerade mal fürs Trinkgeld." Papi seufzt.
Wir kichern eine Runde und ich denke, dass ich wirklich die allerliebste und spendabelste Omi der Welt habe.

Huhu, du!
Ja, ich meine dich, liebes Tagebuch.

Eben haben wir Kuchen im Café Luise gekauft und gleich kommen Alina und Leonie zum Kaffeetrinken, um den sü…, äh, um Jean-Pierre kennenzulernen. (Dass er s. ist, schreibe ich hier besser nicht hin, falls er mein Tagebuch mal zufällig findet und darin liest. Was er aber bestimmt nicht tut, weil er nicht nur ein s. Franzose ist, sondern auch einer, der weiß, wie man sich benimmt.)
Also, was ich eigentlich schreiben wollte: Der Ausflug mit meiner Familie und dem s. Zahnspangenfranzosen war zwar etwas daneben und das Essen hat Omi ein halbes Vermögen gekostet, trotzdem bin ich mega-

giga-irre froh, dass Jean-Pierre hier ist. Unser Familienleben ist plötzlich so viel spannender und lustiger und überraschender und …

Was ich am tollsten finde: Jean-Pierre hat vorhin im Auto mit Jette und mir Französisch geübt. Im Moment geniere ich mich zwar noch ein bisschen, französisch zu reden, aber vielleicht legt sich das ja bald. Das wäre super. Dann werde ich vielleicht noch ein echtes Französisch-Ass! (Was ich ja schon halb bin.)

Richtig supertoll finde ich, dass er mir ein wunderhübsches Schmetterlingstagebuch geschenkt hat. Mal gucken, wann ich das erste Mal etwas hineinschreibe. Bestimmt schon bald. Zumindest juckt es mich in den Fingern.

Was ich weniger toll finde: Nachdem Lukas am Anfang gar nichts von Jean-Pierre wissen wollte, sind die beiden plötzlich richtig dicke Bizeps-Freunde. Essenstechnisch liegen sie jedenfalls total auf einer Linie!

Okay, ich geb's zu. Ich bin ein bisschen eifersüchtig und habe Angst, dass Jean-Pierre demnächst lieber seine Zeit mit Lukas als mit mir …

Ups, ich muss Schluss machen. Es klingelt!

Au revoir, liebes Tagebuch. A bientôt.

Nüß und sett

„Du bist also der Franzose?" Alina hat eine megahohe Piepsstimme, als sie Jean-Pierre die Hand reicht. Und dann sagt sie etwas, das sie garantiert aus *Glut der Liebe* hat: „Angenehm. Schön, dich kennenzulernen."

„Die Freude ist ganz auf meiner Seite", krächzt Jean-Pierre, dann streckt er Leonie die Hand hin.

„*Salut*." Leonie hält die Luft an. „Ich heiße Leonie."

„*Salut*, Leonie! Du bist die mit die Hund?"

Leonie nickt und lässt zum Glück wieder die Luft raus. Es wäre ja auch ziemlich blöd, wenn sie aus Versehen platzen würde.

„*Oui*, äh, ja." Sie wird ein bisschen rot und ich begreife gar nichts mehr. Was ist bloß mit ihr los? Leonie ist ziemlich prüde und kann Jungs nicht besonders viel abgewinnen. Also wird ihr Rotwerden ja wohl kaum Anzeichen einer Liebesanwandlung gewesen sein. Oder etwa doch?

Alina und Leonie wollen sich gerade aus ihren Jacken

wurschteln, als Jean-Pierre ihnen galant dabei hilft. Als wären die beiden gebrechliche Omis oder so.
„Äh, danke, äh“, bekommt Leonie einen Stotteranfall Nummer zwei.
Alina bedankt sich ebenfalls, verheddert sich aber in ihrem Ärmel und rumst mit Getöse gegen die Garderobe.
„Oh, tut mir leid!“, entschuldigt sich Jean-Pierre, der doch gar nichts dafür kann.
„Mir tut es leid“, entschuldigt sich Alina, die genauso wenig schuld daran ist.
Als sich Leonie auch noch entschuldigt, dass es ihr leidtäte, im Weg gestanden zu haben, reicht es mir und ich scheuche alle drei ins Wohnzimmer. Dort hat Mami eine Kaffeetafel mit weißer Tischdecke, Kerzen und allem Pipapo gedeckt. Richtig Franzosen-festlich! Was es alles zu essen gibt: Sahnequarkschnitten und Muffins, Apfelkuchen und Zitronenkuchen, außerdem eine Aprikosen-Streuseltorte von Leonies Mama. Selbst Lukas, der es eigentlich nicht ausstehen kann, wenn mein *Weiberzoo* angerauscht kommt, setzt sich mit an den Tisch. Alles klar, es gibt ja auch Kuchen satt. Den mag er mindestens genauso gerne wie Schnecken und ehemals behaarte Tiere. Alina misst in meinem Zimmer schnell ihren Blutzucker (da sie zuckerkrank ist, kann sie nicht einfach so drauflosfuttern), Mami verteilt Kuchen und los geht's.

Zu dumm nur, dass keiner einen Ton sagt. Nicht mal Mami und Papi, denen eigentlich immer was einfällt. Selbst dann noch, wenn gerade die Welt untergegangen ist. Aus dem Augenwinkel sehe ich, dass Leonie und Alina den süßen Zahnspangenfranzosen wie ein exotisches Tier im Zoo begaffen. Leonie zieht dabei die ganze Zeit den Bauch ein, Alina plinkert mit den Wimpern, Jette schleudert ihre Glanzhaare hin und her. Ach, du dicker Schmetterling, ist das peinlich!

„Was seid ihr denn so stumm?", fragt mein Bruder plötzlich in die Stille. „Ihr seid doch sonst die reinsten Quasselstrippen."

Ich trete Lukas unter dem Tisch. Kann er nicht bitte einfach die Klappe halten?

Lena kichert hinter ihrer Serviette, dann posaunt sie: „Jean-Pierre, Mias Freundinnen finden dich toll, deswegen sind sie so verklemmt."

Verklemmt, von wegen! Lena soll erst mal selbst einen supersüßen Zahnspangenfranzosen zu Besuch kriegen. Dann werden wir ja sehen, wer hier verklemmt ist. Zur Strafe kassiert sie ebenfalls einen Tritt unter dem Tisch.

„Was denn!", beschwert sie sich prompt. „Das ist doch wahr!"

Während Alina und Leonie höllisch rot werden (die Armen!) und jetzt erst recht verklemmt auf ihre

Kuchenteller starren, sagt Mami: „Lena, es ist nicht besonders höflich, unsere Gäste in Verlegenheit zu bringen.“

Meine kleine Schwester guckt zerknirscht. „Aber ich finde Jean-Pierre doch auch toll. Ihr nicht?“

„Doch, natürlich“, sagt Mami.

Schon seit einer Weile rührt Jean-Pierre in seiner Trinkschokolade, als wolle er einen Schokopudding daraus machen. Bestimmt ist es ihm mega-giga-irre peinlich, dass über ihn geredet wird, als wäre er gar nicht anwesend. Der Arme!

„Wo wohnst du eigentlich in Paris?“, fragt Alina schließlich mit Piepsstimme.

Jean-Pierres Mundwinkel heben sich wenige Millimeter. Bestimmt ist es so was wie ein Lächeln.

„Warst du denn schon mal dort?“, fragt er zurück.

Alina nickt und erzählt von der Romantikreise, die sie vor Urzeiten mit ihrer Mutter unternommen hat. Damals sind die beiden total romantisch über die Seine geschippert, haben in einem total romantischen Hotel am Montmartre gewohnt und total romantisch Steak mit Pommes im Quartier Latin gegessen.

„Pommes? Das ist ja echt mal romantisch!“ Jette gluckst los. Natürlich hat sie Recht – Pommes sind so ziemlich das Unromantischste, was ich kenne –, aber bestimmt meinte Alina mehr das kleine Lokal als das Essen.

Jean-Pierres vollmilchbraune Augen fangen an zu blitzen. „Ich finde schon, dass *frites* … also, dass Pommes romantisch sein können. Es kommt immer darauf an, mit wem man sie isst.“ Sein Blick geht für eine Minisekunde zu mir.

Rums macht es in meinem Magen und eine Lawine donnert hinterher. Im nächsten Moment habe ich das Gefühl, als würde mir jemand den Stuhl wegziehen und ich durch den Fußboden direkt in die Wohnung unter mir plumpsen. Unseren Nachbarn mitten auf den Kaffeetisch.

Jean-Pierre guckt Alina an und sagt ohne Augenblitzen: „Ich wohne in Versailles.“

„Ui, da steht doch das schöne Schloss!“, ruft sie aus. „Da war ich damals auch mit meiner Mutter. Das ist ja sooo romantisch.“

Jean-Pierre nickt. „*Oui, très romantique.* Manchmal sind nur zu viele Touristen da. Dann ist es nicht mehr so *romantique*.“

„Echt? Du wohnst im Schloss?“, fragt Lena allen Ernstes. Etwa eine Million Mal habe ich ihr von Jean-Pierre erzählt und etwa eine Million Mal ist das Wort *Schloss* nicht in meinen Erzählungen vorgekommen. In der Schule ist meine kleine Schwester schlauer als Newton und Einstein zusammen, im normalen Leben macht sie jeder Dummnuss Konkurrenz.

Leonie, Alina, Jette und ich gackern los. Das ist die

Rache für Lenas blöde Bemerkung eben. Selbst meine Eltern können sich ein Grinsen nicht verkneifen.
Nur Jean-Pierre erklärt ernst: „*Non,* Lena, ich lebe mit meinen Eltern in einem ganz normalen Haus. Meine Eltern und ich unten. Mein großer Bruder Jacques ... er studiert in Paris Jura ... oben."
„Wie? Was? Echt?", frage ich. Von einem großen Bruder wusste ich noch gar nichts.
„Jacques ist schon zweiundzwanzig", sagt er, als wäre das ein Grund, ihn gar nicht zu erwähnen. „Aber er wohnt schon länger im Dachgeschoss. Er ist allergisch gegen meine Katze."
„Du hast eine Katze?", quiekt Leonie. Beim Thema Haustiere gerät sie immer ganz aus dem Häuschen.
„*Oui, oui*, sie heißt Colette. Sie ist die hübscheste Katze *du monde* ... ehm ... von der Welt."
Auch von dieser hübschesten Katze der Welt wusste ich nichts. Wer weiß, mit was für Überraschungen mein Besuch noch so um die Ecke kommt?
Jetzt ist Leonie ganz in ihrem Element. Sie zieht auch nicht mehr den Bauch ein, als sie Jean-Pierre von ihren Haustieren erzählt. Von ihrem Meerschweinchen Horst und von ihrem süßen Fellknäuel-Hund Wursti. Die beiden fangen richtig an zu fachsimpeln und wir anderen gucken ein bisschen blöd aus der Wäsche. Weil keine von uns ein Haustier besitzt. Ich habe nur die schönste Schmetterlingssamm-

lung *du monde* (Haarspangen, Glitzerschmetterlinge, Gürtel, Poster), was so gesehen ja nicht als Haustier zählt.
Leonie erzählt gerade, wie sie versucht hat, Wursti mit Leckerli zu dressieren, als Jean-Pierre auf seine Armbanduhr blickt und sagt: „Oh, ich muss ... ich muss ..." Der Rest des Satzes verhallt im Nirgendwo.
„Was musst du?", erkundigt sich Mama.
„Lernen."
Papi streicht sich nachdenklich über seinen Vollbart. „Du bist ja übereifrig, Jean-Pierre. Du lernst doch schon morgen bei mir im Unterricht."
Ganz schlechtes Stichwort. In den letzten Stunden hatte ich erfolgreich verdrängt, dass Papi, MEIN PAPI, morgen vor unserer Klasse stehen und uns unterrichten wird.
„Ich weiß, aber ..." Jean-Pierre sieht plötzlich ganz verzagt aus. „Ich muss ja auch meinen Schulstoff lernen, sonst ..."
Ja? Was ist sonst? Doch Jean-Pierre spricht nicht weiter; er zupft nur am Ausschnitt seines Ringelshirts.
„Also, wenn du Hilfe brauchst ..." Papis Hände fahren durch die Luft.
Doch da ist Jean-Pierre schon aufgestanden. Er winkt Jette, Alina und Leonie zu und ruft: *„A demain!"*
Das heißt übersetzt *bis morgen.*

„*A demain*“, tönen die drei im Chor. Und Alina fügt ein piepsiges „Bis morgen“ hinzu.
„Hab ich ihn jetzt vergrault?“, will Leonie wissen. „Weil ich zu lange über Wursti geredet habe?“
„Kann sein“, meint Jette.
„Gar nicht“, widerspreche ich ihr. „Er findet Haustiere doch ganz toll.“
„Aber dass er gleich am ersten Tag lernt, ist echt strange“, meint Lukas.
„Vielleicht ist er ja ein Streber“, sagt ausgerechnet meine kleine Schwester. Lena paukt immer bis zum Umfallen und wehe, sie schreibt mal eine Zwei minus oder eine Drei. Dann herrscht gleich Heul-Alarm.
„Wenn ihr wollt, Mia, könnt ihr auch in dein Zimmer rübergehen“, schlägt Mami vor.
Super Idee! Da sind wir ungestört. Theoretisch. Praktisch ist es ja auch das von meiner kleinen Schwester und die muss nicht immer alles mitkriegen.
„Und ich darf dann nicht in mein Zimmer oder wie?“, fragt Lena maulig.
Typisch. Sie will immer gerade dann zu mir rein, wenn ich mit meinen Freundinnen quasseln möchte.
„Du hilfst mir beim Abräumen“, bestimmt Mami.
Lena murrt etwas lauter, fügt sich aber in ihr grausames Schicksal.
Jette, Alina, Leonie und ich lassen uns das nicht zwei-

mal sagen und verschwinden mit ein paar Stück Kuchen in meinem Zimmer.

„Und? Wie findet ihr ihn?“, frage ich Alina und Leonie, kaum dass die Tür hinter uns zugefallen ist. „Aber ehrlich.“

„Wieso sollten wir denn nicht ehrlich sein?“, will Alina wissen.

„Keine Ahnung, weil …“

„Okay, ich zuerst“, fällt sie mir ins Wort. „Ich finde ihn supersüß.“ Sie grinst, als sie fortfährt: „Aber keine Angst, dass ich ihn dir wegschnappe. Ich bin mit Kaspar total happy.“

Mein Blick geht zu Leonie, die wohl allein schon beim Gedanken an Jean-Pierre wieder ihren Bauch einzieht.

„Ich … äh … also, er ist nett.“

„Nur nett oder auch süß?“

„Nett.“

„Nüß!“, kichert Jette. „Leonie findet Jean-Pierre bestimmt nüß!“

„Gar nicht wahr! Du bist ja blöd! Und du? Findest du ihn vielleicht sett?“

Oh bitte! Hoffentlich kabbeln sich die beiden nicht gleich wieder. Das tun sie manchmal, wenn sie unterschiedlicher Meinung sind. Ich kann das gar nicht leiden. Ich mag keinen Streit unter uns Freundinnen.

„Aber du hast die ganze Zeit deinen Bauch eingezogen“, stelle ich fest.
„Ja, weil ich Bauchgymnastik mache. Ist ja wohl nicht verboten, oder?“
Nein, das ist es natürlich nicht. Gut, wenn Leonie ihren Pummelbauch ein bisschen trainiert.
„Leonie findet Jean-Pierre nüß und sett und macht deswegen Bauchgymnastik!“, johlt Jette jetzt so laut, dass ich ihr blitzschnell den Mund zuhalte. Unsere Wohnung ist ziemlich hellhörig. Wie unangenehm, wenn Jean-Pierre mitkriegt, was wir hier reden.
„Denk doch, was du willst“, fährt Leonie beleidigt fort. „Ich will nichts von Jungs. Das weißt du doch.“
„Manchmal ändert sich das aber über Nacht“, sagt Jette jetzt ernst und schleudert ihre Blondpracht zurück.
„Kannst du bitte mal damit aufhören?“ Leonie guckt schon ganz grimmig.
„Okay, tut mir leid“, räumt Jette zum Glück ein und alles ist wieder in Butter.
Wir quasseln noch ziemlich lange an diesem Nachmittag. Über den Unterricht bei Papi morgen (Leonie und Alina finden das klasse, Jette findet das keine-Ahnung-wie), über Wursti, der sich in eine Hundedame verknallt hat, und immer wieder über Jean-Pierre. Den Jungen, der Leonie vielleicht ja doch dazu bringt, ihren Bauch einzuziehen.

Der bei Alina nervöses Wimperngeplinker auslöst und sie nur noch piepsig reden lässt.
Und der mich so durcheinanderbringt, dass ständig Lawinen durch mich hindurchkollern.
Nur Jette ist eigentlich wie immer. Zum Glück. Und sie redet auch nicht in Gedichtsprache, also ist sie auch nicht in ihn verknallt. Das ist gut. Denn auch wenn wir Jean-Pierre damals in Berlin gemeinsam kennengelernt haben, ist und bleibt er *mein* Zahnspangenprinz.

Auf der Wiese steht eine karierte Kuh

Die Nacht ist dunkel, fies und grausam. Sosehr ich mich auch anstrenge, ich kann nicht einschlafen. Weil ich die ganze Zeit an morgen denken muss. Daran, wie es sein wird, wenn ich mit Jean-Pierre in die Klasse komme. Ich wette, alle werden so sehr gaffen, dass ihnen die Augen aus dem Kopf kugeln. Und dann wird Papi in seinen Ökotretern in die Klasse schneien und …

Wie vom Blitz getroffen fahre ich hoch und schlage die Bettdecke beiseite. Da ich meine Hausschuhe in der Aufregung nicht finden kann, tapse ich barfuß zur Tür.

„Mach nicht so einen Lärm, Mia“, tönt es aus dem Nebenbett.

„Ich mach keinen Lärm“, widerspreche ich. „Ich stehe nur mal kurz auf.“

„Aufstehen ist aber Lärm machen.“

Grrr! Am besten stellt man seine Ohren auf Durchzug, wenn die kleine Nevensägenschwester einen mitten in der Nacht anquatscht.

Ich öffne vorsichtig die Tür und spähe auf den Flur. Obwohl ich gestern Nacht mit Jean-Pierre in der Küche gesessen und gefuttert habe, möchte ich ihm ungern schon wieder über den Weg laufen. Er könnte ja noch denken, dass ich ihm auflauere.
Die Luft ist rein. Ich husche die zwei Meter zu Mamis und Papis Tür und drücke leise die Klinke runter. Alle drei (Mami und Papi im Ehebett) und Josefinchen (in ihrer Wiege) schlummern friedlich.
Ich räuspere mich. Niemand tut einen Mucks.
Ich räuspere mich lauter. Papi gibt einen Schnarcher von sich, der nach Bär klingt, dann dreht er sich auf die andere Seite.
„Papi?“, sage ich ganz leise, damit Josefinchen nicht aufwacht.
Mami schreckt hoch. Ihre Haare stehen in alle Richtungen ab. Das sieht aus, als hätte sie jemand an eine Steckdose angeschlossen.
„Mia, bist du das?“
„Nein, ein Geist“, brumme ich und mache *Winke, winke* mit meinen Ärmeln.
„Was ist denn?“
„Ich will Papi was fragen.“
„Muss das jetzt sein?“
„Ja, es ist wichtig!“
Mami seufzt und rüttelt sanft Papis Schulter.
„Hm?“, grunzt der.

„Thomas?“

Nun fährt auch Papi hoch. „Ist was mit Jean-Pierre?“

„Nein. Mia möchte dich was fragen.“

„Hat das nicht bis morgen Zeit?“ Papi krächzt schlimmer als jeder Krächzomat.

„Ich kann nicht einschlafen, Papi.“ Ich drücke mich wie belämmert an der Wand herum. „Weil ich die ganze Zeit daran denken muss.“

„Wieso, woran denn?“

„Morgen! Schule!“

„Mia, ich kann es doch auch nicht ändern, dass ich eure Klasse übernehme. Und das ist auch nicht für immer.“

Ich nicke. Wobei Papi ja keine Ahnung hat, dass *nicht für immer* schon eine Katastrophe ist.

„Geh wieder ins Bett, mein Spatz“, sagt Mami. „Und denk beim Einschlafen an was Schönes.“

Ich tapse einen Schritt zur Tür, drehe mich aber noch mal um. „Papi, kannst du vielleicht … ähm … also, es wäre das Beste, wenn du …“

„Ja, Mia?“

„Bitte zieh nicht deine doofen Ökoschuhe an“, bringe ich den entscheidenden Satz endlich über die Lippen. „Du hast doch die hübschen italienischen Schuhe aus Capri.“

Während Mami schallend loslacht, starrt Papi mich nur mit offenem Mund an.

„Und um mir das zu sagen, stehst du mitten in der Nacht auf?“
Ich nicke.
„Aber das hättest du doch auch morgen früh tun können.“
„Morgen früh ist aber Jean-Pierre dabei und …“
„Verstehe.“ Papi legt sich wieder hin und zieht sich die Bettdecke bis zum Kinn. „Wenn dir so viel daran liegt, ziehe ich die italienischen Schuhe an. Wobei ich wirklich nicht verstehe, was du gegen die anderen Schuhe hast.“
Während Mami leise in sich hineinkichert (sie kann Papis Ökotreter und seinen Schlunzi-Look auch nicht leiden), bedanke ich mich und ziehe die Tür wieder hinter mir zu.
Uff. Eine Sorge weniger. Auch wenn es nur Mini-Mini-Sorge im Universum aller Sorgen ist.

Gäbe es ein Computerprogramm, mit dem man sich unsichtbar machen kann, würde ich es tun. Schon als Jean-Pierre, Jette und ich aus unserem blauen Auto steigen, gaffen uns alle an, als wären wir Außerirdische. Was in etwa aufs Gleiche rauskommt. Und als wir kurz darauf die Aula durchqueren und die Treppe in den ersten Stock hochstiefeln, wird es nur noch schlimmer. Von den Mädchen, an denen wir vorbeilaufen, kichert jedes zweite, die Jungs tuscheln und verrenken sich die Hälse. Jette, die ja gern Model wäre, scheint das richtig zu genießen. Sie stakst vor uns her und schleudert ihre Blondpracht hin und her. Ich halte sie am Arm fest: „Kannst du nicht mal normal gehen?“

„Wieso, ich gehe doch immer so“, gibt sie zurück.

Jean-Pierre lächelt Jette schräg von der Seite an. „Fast wie ein Model.“

„Ich bin ja auch ein Model! Das Model meines Herzens, meines Lebens, meiner bescheidenen Existenz.“

Auweia, Gedicht-Alarm! Jette hat schon mal haargenau dieselben Worte benutzt und da war sie verknallt. In meinen Nachbarn Maiki. Der war damals das Model ihres Herzens.

„Huhu, hi, wartet mal!“, tönt eine Stimme in meinem Rücken.

Ich drehe mich um und sehe meine Banknachbarin Streber-Christi mit fliegenden braunen Haaren auf uns zulaufen. Einen Meter vor uns bremst sie ab, ihre Schultasche donnert gegen meine Schulter.

„Du bist also Jean-Pierre?“ Hechel, hechel, hechel.

„Oui.“ Jean-Pierre legt den Kopf schief und taxiert sie. „Und du … du heißt Christi, richtig?“

Christis teichgrüne Augen werden groß und größer. „Woher weißt du das?“

„Lukas hat mir gestern Fotos auf seinem Handy gezeigt. Und ein Video von deinem letzten Konzert. Du kannst richtig super singen."
Ich bin mindestens genauso baff wie Christi. Statt Jean-Pierre anzumuffeln, hat Lukas anscheinend mit seiner tollen Freundin, die in der tollen Band *Osaka kitchen hell* singt, angegeben. Das ist ein Ding!
„Danke", sagt Christi bescheiden. „Dafür kannst du richtig toll Deutsch."
„Das stimmt nicht", gibt Jean-Pierre genauso bescheiden zurück. „Ich mache noch sehr viele Fehler."
„Davon merkt man aber gar nichts."
Christi will die Tür zu unserem Klassenzimmer aufstoßen, doch Jean-Pierre ist schneller und hält sie ihr auf. Danach lässt er auch noch Jette und mich, Maike, Irina, Amy, Lars und Henning reingehen. Leonie und Alina kommen angehechelt, es gibt ein großes Hallo, dann quetschen sich die beiden auch noch mit durch die Tür.
„Was ist das denn für ein Hampelmann?", quäkt Henning mir ins Ohr. Gerade habe ich meine Schultasche auf den Tisch geschleudert und mache mich daran, die Tafel abzuwischen. Ich bin nicht mal an der Reihe, aber mir ist kodderschlecht und es lenkt mich ein bisschen davon ab, dass in zwei Minuten Papi im Klassenzimmer stehen wird. Papi in seinen schicken italienischen Tretern.

„Das ist kein Hampelmann, das ist Jean-Pierre“, sage ich. „Unser Austausch-Franzose.“
„Und wieso hält der allen wie bescheuert die Tür auf? Ist der irgendwie Türsteher oder hat der sonst eine Macke?“
Ich schiele zu Jean-Pierre rüber, der tatsächlich immer noch dasteht und alle Schüler reinlässt. Ich erkläre Henning, dass Jean-Pierre schon mal als Page gejobbt und dass das Türaufhalten zu seinen Aufgaben gehört hat.
Henning guckt wie ein gebuttertes Toastbrot. Also ohne einen Funken Intelligenz.
„Aber wieso ... wieso geht denn ein Page bei uns mit in die Schule? Und wieso trägt er ein Streifenshirt?“
„Weil ...!“ Ich stöhne. „Weil zwei plus zwei vier sind. Und weil auf der Wiese eine karierte Kuh steht. Kapiert?“
„Nee, kapier ich nicht.“
„Eben! Da gibt's auch nichts zu kapieren.“
Nicht zu fassen, was für blöde Fragen manche Jungs stellen können.
Zum Glück platzen gerade Lars und Mr Rülps ins Klassenzimmer. Lars pfeift seinen Kumpel wie einen Hund zu sich. Fehlt noch, dass er *Sitz!* ruft und Henning Platz macht.
Ich wische und wienere immer noch auf der Tafel herum, als ich aus dem Augenwinkel sehe, dass Jean-

Pierre auf mich zusteuert. Meike, Annika und Inga gaffen ihm nach. Ich weiß ja, dass er megasüß ist, aber wie kann man ihn nur so mit Blicken auffressen? Mit ein bisschen Glück lassen die drei vielleicht noch das Skelett von ihm übrig.

„Mia, wo soll ich mich hinsetzen?", fragt Jean-Pierre mich, als wäre ich hier die Lehrerin.

„Keine Ahnung." Am liebsten hätte ich ihn ja an meiner Seite, aber da hockt nun mal Streber-Christi wie festgetackert. Bestimmt lässt sie sich nicht so einfach verscheuchen.

„Warte doch, bis mein Vater …"

Mein Mund klappt zu, weil genau in diesem Moment die Person, mit der ich jeden Morgen am Frühstückstisch sitze, in schicken italienischen Tretern hereinkommt. Allerdings nützen die nicht viel, weil man eigentlich nur Papis grauenhaft ausgebeulte Cordhosen und sein zerschlissenes Holzfällerhemd sieht. Das ist mir heute Morgen beim Frühstück gar nicht aufgefallen.

„Guten Morgen, die Herrschaften!", tiriliert Papi in einer Omi-Olga-ähnlichen Stimmlage. „Für die, die mich noch nicht kennen: Ich bin Herr Hansen."

„Ja, Mias Vater!", ruft Lars neunmalklug.

Ein paar Leutchen kichern. Durch meinen Magen galoppieren Wildpferde und wahrscheinlich bin ich krebsrot im Gesicht. Einfach, weil mir alles so peinlich ist. Ich mache mich ganz klein und tauche halb in meine Schultasche ab, die noch auf dem Tisch liegt. Hauptsache, ich sehe niemanden und niemand sieht mich.

„Ja, ich bin Mias Vater", fährt Papi zum Glück mit normaler Stimme fort. „Ihr wisst ja sicher alle, dass ich Frau Müller-Stegemann vertrete, solange sie in der Elternzeit ist."

Christi meldet sich.

„Ja bitte, Christi?"

„Herr Hansen, wir freuen uns, dass Sie da sind!"

Ups. Streberanfall. Aber auch die anderen klatschen jetzt und trampeln mit den Füßen. Ich bin anscheinend die Einzige, die lieber tot wäre, als von *Herrn Hansen* unterrichtet zu werden.

„Bevor wir anfangen, möchte ich euch erst jemanden vorstellen. Jean-Pierre, kommst du bitte mal zu mir?"

Der süße Zahnspangenfranzose, der sich die ganze Zeit in der Nähe der Eingangstür herumgedrückt hat (Fluchtweg!), zieht wie ertappt die Hände aus den Hosentaschen und schlendert zu Papi rüber.

Irgendjemand kichert. Keine Ahnung, warum. Mir tut Jean-Pierre ein bisschen leid. Es muss schlimm sein, in eine neue Klasse zu kommen und von allen wie das achte Weltwunder angeglotzt zu werden.

„Das ist Jean-Pierre. Er ist unser Austauschschüler aus Paris und wird die kommenden zwei Wochen gemeinsam mit uns lernen."

Irina zeigt auf und Papi nimmt sie dran.
„Kannst du Deutsch, Jean-Pierre?“, fragt sie.
„*Oui*, aber ich möchte meine Deutsch verbessern“, sagt er. Ich wette, er hat den Fehler absichtlich eingebaut. Sonst spricht er doch immer total lupenrein.
Papi deutet auf die letzte Reihe, wo zwischen Sofia und Meike noch ein Platz frei ist. „Magst du dich da hinsetzen?“
Jean-Pierres Kinn sackt aufs Brustbein, dann schüttelt er den Kopf.
Die Person, die eben gekichert hat, kichert lauter.
„Aber wo ist das Problem?“ Papi sieht ihn verwirrt an.
Auch ich verstehe nicht, was Jean-Pierre auf einmal hat. Ist es denn wirklich so schlimm, in der letzten Reihe zu sitzen?
„Ich … ich bin … äh … *myope*“, stottert er.
Papi zieht die Stirn kraus. *„Myope?“*
„Oui, myope!“ Jean-Pierre deutet auf seine Augen.
„Ah! Kurzsichtig?“
Jean-Pierre nickt.
„Und wo ist deine Brille?“
Jean-Pierre trägt eine Brille? Das ist ja was ganz Neues!
„Zu Hause vergessen.“ Seine Stimme klingt dünn. „Also, in Paris.“
Als wäre das der Brüller des Jahrhunderts, wiehert

die halbe Klasse los. Keine Ahnung, was daran so witzig sein soll.
„Gut, Jean-Pierre. Dann schlage ich vor …“ Papi lässt seinen Blick über die Reihen gleiten. Der bleibt an der ersten Reihe hängen. Dort, wo Irina neben mir hockt. „Bist du so nett und setzt dich die nächsten zwei Wochen in die letzte Reihe?“
„Sehr gerne, Herr Hansen“, sagt Irina höflich (ups, auch sie hat einen Streberanfall) und ich feiere innerlich Geburtstag und Weihnachten zugleich. Etwas Schöneres, als neben Jean-Pierre zu sitzen, konnte mir kaum passieren.
„Ach, und seid bitte so nett und stellt Namensschilder auf. So lerne ich am schnellsten eure Namen.“
„Muss Mia das auch machen?“, fragt Henning.
Ich stöhne innerlich auf. Ich wusste ja, dass Henning manchmal etwas unterbelichtet ist, aber heute glimmt in seinem Kopf nicht mal eine trübe Funzel.
„Nein, das muss Mia nicht“, erklärt Papi vollkommen ernst. „Und auch alle anderen, die mich kennen, können darauf verzichten.“ Damit sind natürlich Leonie, Jette, Alina, Streber-Christi und Jean-Pierre gemeint. Es dauert gefühlte Stunden, bis alle ihre Namensschilder aufgestellt haben. Dann dauert es noch mal gefühlte Stunden, bis Papi uns erklärt hat, was er in den nächsten Wochen mit uns vorhat. Er schreibt die Klassenlektüre an die Tafel, sagt, dass er mit uns

in die *Tiefen der Grammatik* steigen will (das klingt irgendwie unheimlich!) und zu guter Letzt die Lesenacht mit uns vorbereiten möchte.
Christi beugt sich zu mir rüber und flüstert: „Was denn für eine Lesenacht?"
„Keine Ahnung", flüstere ich zurück. „Ich weiß von nix."
Noch bevor ich ausgeatmet habe, donnert Papis Stimme in orkanartiger Lautstärke über uns hinweg: „Mia, Christi, würdet ihr bitte zuhören?"
„Entschuldigung", murmelt Christi und zuckt zurück. Dabei fegt sie aus Versehen mein Federmäppchen vom Tisch.
„Aber Christi wollte doch nur …", schieße ich los, doch Papi lässt mich nicht ausreden.
„Es ist mir egal, wer hier was wollte. Wer eine Frage hat, meldet sich bitte. Dann nehme ich euch dran. Ich vermute mal, Frau Müller-Stegemann hat das genauso gehandhabt, oder?"
Ich nicke knapp; mein Gesicht glüht vor Scham. Dann bücke ich mich nach meinem Federmäppchen. Christi hatte wohl gerade dieselbe Idee und unsere Köpfe rumsen zusammen. Aua!
Als wir wieder hochkommen, sieht Papi uns mit Bulldoggen-Miene an.
Ich verstehe überhaupt nicht, was in ihn gefahren ist! In den Lehrer, der angeblich kein bisschen streng ist.

Ich finde das ziemlich ungerecht von ihm. Die anderen haben getuschelt und gekichert, dass den Federmäppchen Bärte gewachsen sind, und wer kriegt es ab? Streber-Christi und ich!
Ich gucke auf die Uhr. Zum Glück ist die Stunde gleich um. Das ist die gute Nachricht. Die schlechte ist, dass wir eine Doppelstunde Deutsch haben und ich mich vor der zweiten Stunde ziemlich fürchte.
Zum Glück wird sie dann nicht ganz so schlimm. Wir nehmen Synonyme und Antonyme durch. Synonyme sind Wörter, die eine ähnliche Bedeutung haben, Antonyme drücken das Gegenteil von einem Wort aus. Papi macht aus dem drögen Thema ein lustiges Wettspiel an der Tafel. Zunächst teilt er die Klasse in zwei Gruppen ein, Gruppe A und Gruppe B. Dann muss jeweils einer aus Gruppe A zu einem vorgegebenen Wort ein Synonym, ein anderer aus Gruppe B ein Antonym finden und hinschreiben. Wer zuerst ein Wort gefunden hat (das natürlich auch stimmen muss), bekommt einen Punkt.
Alle sind mit Feuereifer dabei. Es wird gejohlt, geklatscht und ab und zu auch vorgesagt, wobei Papi schon mal ein Auge zudrückt. Fast jeder aus unserer Klasse darf nach vorne – Jean-Pierre inklusive –, nur mich nimmt Papi nicht dran. Da kann ich noch so sehr mit dem Finger schnippen. Ganz schön blöd! Ich hätte unserer Gruppe garantiert einen Punkt geholt.

Fünfundvierzig Minuten später erlöst uns das Klingelzeichen. Papi gibt eine Grammatikübung als Hausaufgabe auf, dann sehe ich bloß noch einen Zipfel seines Holzfällerhemds, schon ist er draußen. Uff. Geschafft. Ich freue mich total darauf, Jean-Pierre gleich den Schulhof zu zeigen und mit ihm die Käse-Tomaten-Brote zu futtern, die Mami uns geschmiert hat. Doch kaum habe ich die Brotdose aus meiner Tasche gekramt, ist Jean-Pierre von einer Traube Mädchen umringt. Sofia, Meike, Inga, Jette, Alina und Irina sind mit dabei und alle kichern sie um die Wette. Grrr! Wahrscheinlich erleidet gleich eine nach der anderen einen Ohnmachtsanfall.

Etwas deprimiert schlurfe ich zur Tür. Die erste große Pause mit Jean-Pierre habe ich mir anders vorgestellt.

„Kommst du mit raus?“ Leonie kitzelt meinen Nacken.

Ich nicke. Gemeinsam mit ihr und Christi husche ich aus der Klasse.

Draußen auf dem Schulhof mache ich meiner Enttäuschung Luft.

„Das war so gemein, wie Papi uns angeschnauzt hat“, sage ich zu Christi. „Gemein und megapeinlich!“

Sie bietet mir ihr süßes Teilchen an, aber ich schüttele den Kopf.

„Er hat es bestimmt nicht so gemeint. Er weiß eben nicht, wie er damit umgehen soll, dass du auf einmal in seiner Klasse sitzt. Das verunsichert ihn.“

Studiert sie etwa heimlich Psychologie oder wieso kommt sie auf einmal so schlau und psychologisch daher?
„Christi hat Recht.“ Leonie beißt von ihrer Banane ab. „Er muss sich erst mal an dich gewöhnen. Ich meine, an dich als seine Schülerin. Als Tochter kennt er dich ja schon.“
„Trotzdem ist das kein Grund, auch noch Christi anzublaffen“, sage ich.
„Nicht so schlimm.“ Christi lächelt versöhnlich. „Dafür war das Spiel an der Tafel richtig super.“
„Für euch vielleicht. Ich bin ja nicht mal drangekommen.“
Ich recke mich auf die Zehenspitzen und scanne den Schulhof, aber weder Jean-Pierre noch die anderen Mädchen aus meiner Klasse sind zu sehen. Wahrscheinlich ist die Hälfte inzwischen tatsächlich ohnmächtig geworden und der süße Zahnspangenfranzose muss bei ihnen Mund-zu-Mund-Beatmung machen.
„Gib ihm eine Chance!“, höre ich Christi wie von ferne sagen.
„Wem?“, frage ich.
„Deinem Vater! Wem sonst?“
Leonie boxt mich und sagt kichernd: „Und Jean-Pierre auch. Der hat erst mal ganz schön viel damit zu tun, sich die Mädchen vom Leib zu halten, was?“
„Er sieht aber auch rasend gut aus“, ergänzt Christi.

Ich seufze leise. Rasend gut. Mir wäre lieber, Jean-Pierre würde wie ein Grottenolm aussehen. Ein Grottenolm mit vier Zahnspangen im Mund. Dann hätte ich ihn wenigstens für mich allein.
Mr Rülps kommt herbeigetrödelt. Ohne Alina. Und auch ohne seine Kumpel. Was ziemlich merkwürdig ist.
„Wo hast du denn Alina gelassen?“, frage ich.
„Und du Jette?“, gibt er zurück und wickelt ein Leberwurstbrot aus. Ich rücke ein paar Zentimeter von ihm ab. Wenn er Leberwurst isst, muss er immer rülpsen (daher stammt auch sein Spitzname) und dann wird mir schlecht und am Ende sacke ICH noch bewusstlos zusammen.
„Die haben sich mit deinem Franzosen im Klassenraum eingeschlossen und feiern eine wilde Party.“
„Echt jetzt?“
„Reingefallen!“ Mr Rülps beißt ins Brot. „Hi, höh, häh!“
Ja, sehr witzig. Wirklich total komisch.
„Hast du zufällig mitgekriegt, worüber die reden?“
Kaspar zuckt mit den Achseln. „Keine Ahnung. Aber dein Ringelshirt-Franzose ist ein ganz schöner Schleimer, oder? Hält jedem Hirni die Tür auf.“
„Das ist nicht schleimig, das ist höflich“, entgegnet Christi. „Ich mag so was jedenfalls. Ich wäre froh, wenn Lukas …“
„Vergiss es“, sage ich. „Lukas wird dir nie im Leben

die Tür aufhalten. Er rafft einfach nicht, dass Mädchen so was mögen."
Und als auch noch Leonie sagt, dass höfliche Menschen nicht zwangsläufig schleimige Menschen sein müssen, eher im Gegenteil, nickt Mr Rülps seinem Leberwurstbrot zu.
„Vielleicht kann man sich ja was bei ihm abgucken."
Schwupp ist der letzte Happen in seinem Mund verschwunden.
„Aber hallo!", sage ich. Jeder Junge sollte sich eine Scheibe von Jean-Pierre abschneiden. Unbedingt. Dann wäre die Gattung *Junge* nicht ganz so unausstehlich.
„Okay, ich geh mal Alina suchen." Kaspar rülpst leise und zuckelt in Zeitlupe los. Anderthalb Rülpser später dreht er sich um und ruft: „Der Unterricht bei deinem Daddy war übrigens echt cool."
„Hab ich's nicht gesagt, Mia?" Christi knufft mich. „Alle fanden die beiden Stunden super."
„Mhm", brumme ich. Das tröstet mich kein bisschen.
„Stell dir vor, alle würden deinen Vater richtig gruselig finden. Das wäre doch schlimm."
Nachdenklich spiele ich mit der Schnalle meines Schmetterlingsgürtels. Christi hat Recht. Das wäre nicht nur schlimm, das wäre eine mittelschwere Katastrophe. Denn dann würde man nicht bloß meinen Vater hassen, sondern mich gleich mit dazu.

Jean-Pierre kniet zum Glück nicht am Boden und haucht irgendwelchen ohnmächtig gewordenen Mädchen aus meiner Klasse wieder Leben ein, als wir in die Klasse zurückkehren. Alle erfreuen sich bester Gesundheit, kichern und werfen à la Jette ihre Haare hin und her. Es sieht total bescheuert aus.
„*Allô*, Mia! Da bist du ja endlich!“ Jean-Pierre kommt mit blinkender Zahnspange auf mich zu. „Wo warst du die ganze Zeit? Ich hab dich vermisst.“
Eine Glückswelle, hoch genug, um darauf zu surfen, rauscht durch mich hindurch. Jean-Pierre hat mich vermisst, vermisst, VERMISST!
Bevor ich etwas erwidern kann, schneit unsere hübsche Französischlehrerin Frau Hübsch in den Klassenraum. Wie üblich hat sie ihre kurzen blonden Haare hübsch geföhnt. Außerdem trägt sie eine hübsche weiße Bluse, die sie noch viel hübscher macht.
Französisch, wie toll! Noch toller ist es aber, dass sich Frau Hübsch gleich auf Jean-Pierre stürzt und ihn auf Französisch anspricht. Blitzschnell fliegen die Wörter hin und her – ich verstehe nur Bahnhof –, aber es klingt mega-giga-irre schön. Und dann beginnt für mich die erste locker-flockige Unterrichtsstunde an diesem Montagmorgen.

Non, non, non!

Der Bus ruckelt durch Hamburgs Straßen. Zum Glück hatte Papi noch in der Schule zu tun. Ich habe nämlich null Lust, bei ihm im Auto zu sitzen. Nie wieder werde ich mit ihm zur Schule fahren! Das kann er vergessen. Außerdem ist er ab sofort sowieso mein Ex-Papi.

Während Jette ihre Haarmatte nach gespaltenen Haaren durchsucht, erzählt Jean-Pierre von seiner Schule in Frankreich. Dort ist vieles anders als bei uns. Der Unterricht geht von halb neun bis halb zwölf, danach ist Mittagspause. Am Nachmittag müssen die Schüler von halb zwei bis halb fünf die Schulbank drücken. Anschließend darf man in der Schule die Hausaufgaben machen, was den Vorteil hat, dass man auch mal den Lehrer oder die Lehrerin etwas fragen kann.

Jette ruckelt ihre Brille hin und her. Ein Zeichen, dass sie ihren Denkapparat anwirft.

„Aber dann bist du ja nie vor sechs zu Hause!“

Jean-Pierre sieht sie überrascht an.

„Ist das nicht ganz normal?“

„Bei uns nicht“, entgegnet sie. „Wir haben nur ab und zu nachmittags Unterricht.“
Jean-Pierre zuckt mit den Schultern.
„Stört mich nicht. Ich kenne es ja nicht anders.“
„Aber wann triffst du deine Freunde? Wann gehst du zum Ballett?“
„Ballett?“ Jean-Pierre lacht auf. „Ich gehe nicht zum Ballett. Ihr denn?“
Wir nicken. Jette ganz eifrig (sie ist superstolz auf ihre Ballettkünste), ich etwas weniger eifrig (ich bin nicht so die begnadete Tänzerin).
„Oh, kann ich da mal mitkommen?“ Jean-Pierres Augen schimmern jetzt wie Vollmilchschokolade mit einem Schuss Sahne.
„Ja!“, ruft Jette.
„Nein!“, rufe ich.
Jean-Pierres Blicke flitzen zwischen uns hin und her. „Also was denn nun?“
Jette stößt mich in die Seite. „Jein?“
Ich nicke und wiederhole: „Jein.“
Mit *Jein* vergeben wir uns nichts. Da können wir immer noch spontan entscheiden, ob Jean-Pierre mitdarf. Wobei ich nicht besonders erpicht darauf bin, dass er mich in fleischfarbenen Strumpfhosen herumhampeln sieht. Darin sehe ich wie ein Storch im Salat aus – einfach nur schlimm. Und neben dem Schwan Jette wirke ich wie ein hässliches Entlein.

Jette muss aussteigen und die paar Minuten, die der Bus noch bis zu meiner Haltestelle weiterfährt, lässt Jean-Pierre sich über unsere Lehrer aus. Papis Unterricht findet er *très intéressant et amusant* (sehr interessant und lustig), Frau Hübschs Stunde war für ihn etwas langweilig, was aber nur daran liegt, dass er so gut Französisch kann. Frau Hübsch findet er auf jeden Fall supernett. Der Matheunterricht bei der Triefnase war für ihn triefnasig = gähnend langweilig (Mathe ist nicht so sein Fall). Am besten hat ihm der Geschichts- und Kunstunterricht bei Herrn Meyer gefallen.

Das ist auch kein Wunder. Herr Meyer ist Referendar an unserer Schule und ein richtig cooler Typ. Er ist an die zwei Meter groß, hat kurzes blondes Stoppelhaar und ein Tattoo auf dem Unterarm. Aber er sieht nicht nur aufregender als zum Beispiel die Triefnase oder der Heilige aus, sein Unterricht ist auch spannender. Heute sollten wir unsere Vornamen als Graffiti malen – total irre! Mein Name hat ja bekanntlich nur drei Buchstaben, ganz im Gegensatz zu Jean-Pierres langem Doppelnamen. Herr Meyer hatte wohl Mitleid mit ihm und hat mir vorgeschlagen, Jean-Pierre einen Teil seines Namens abzunehmen. Am Ende stand auf meinem Blatt *Mia-Jean* und auf Jean-Pierres *Pierre*. Es sah richtig cool aus. Wie auf einer Mauer am Bahnhof! Die halbe Klasse hat sich zwar schlapp gelacht, doch ich bin so stolz auf mein bunt getuschtes *Mia-*

Jean-Bild, dass ich es garantiert neben dem Schmetterlingsposter in meinem Zimmer aufhängen werde.
„Und? Wie war's?" Kaum dass ich die Haustür aufgeschlossen habe, kommt Omi in einer schreipinkfarbenen Bluse und einer getigerten Hose auf uns zugeflattert.
„Wo ist Mami?", frage ich.
„Die hat doch heute die Vorsorgeuntersuchung mit Josefine."
Ach so. Das hatte ich ja total vergessen. Ich schnuppere wie Leonies Hund Wursti in die Luft. Es riecht nach ... keine Ahnung, was für ein Kuddelmuddel-Essen Omi Olga gezaubert hat.
Während sich Jean-Pierre die Hände waschen geht, ziehe ich nur rasch Jacke und Schuhe aus und folge meiner Omi neugierig in die Küche. Omi Olga kocht meistens ziemlich abenteuerliche Gerichte, die entweder superlecker sind oder die kein Mensch runterkriegt. Allein schon wegen Jean-Pierre hätte ich heute lieber etwas Superleckeres auf dem Tisch.
„Was gibt's denn zu essen?", frage ich scheinheilig.
„Keine Sorge, mein Schmetterling. Ganz normale Nudeln mit einer ganz normalen Tomatensoße. Meinst du, das mag dein Franzose?"
Mein Franzose. Wie das klingt! Als hätte ich ihn online bestellt und mit Mamis oder Papis Kreditkarte bezahlt.

„Mhm, glaub schon.“ Zumindest kenne ich niemanden, der so etwas nicht mag.
Ich wasche mir die Hände am Küchenwaschbecken, dann decke ich den Tisch für fünf Leute. Lena und Lukas werden bestimmt auch bald eintrudeln.
„Nun erzähl schon, Mia.“ Omi sieht mich mit Röntgenblick an.
„Was soll ich erzählen?“
„Wie war der Unterricht bei deinem Vater?“
„Ach so, äh, das meinst du.“ Mein Kopf wird heiß und ich tauche halb im Kühlschrank ab. Hm, Parmesankäse! Der fehlt noch auf dem Tisch.
„Mia?“ Omi zieht mich samt Parmesankäse wieder raus.
„Also gut. Wenn du’s genau wissen willst: Es war be… bescheiden.“
„Ach ja?“ Omis Augenbrauen wandern unter ihren Grauhaarpony. Ein Zeichen, dass sie besorgt ist. „Ich dachte, Thomas soll so ein guter Lehrer sein.“
„Ist er bestimmt auch“, entgegne ich. „Aber nicht bei mir. Er hat mich total doof angemeckert, weil ich mal kurz getuschelt habe. Und als ich mich später gemeldet habe, bin ich kein einziges Mal drangekommen.“
„Ach, mein Schmetterling.“ Omi drückt mich an sich. „Für deinen Vater ist das bestimmt auch keine leichte Situation. Du in seinem Unterricht. Aber das wird sich alles einspielen, da bin ich mir ganz sicher.“

Es tut zwar gut, das von Omi zu hören, aber so richtig glaube ich noch nicht dran. Wahrscheinlich wird es immer komisch sein, Papi im Unterricht zu haben.
Lena und Lukas klingeln Sturm und schon kurz darauf gibt es Essen. Jean-Pierre scheint es zum Glück richtig gut zu schmecken. Er nimmt sich gleich zweimal nach und streut sich jedes Mal dick Parmesan über die Nudeln. Kaum hat er seinen dritten Teller verputzt – Omi erzählt gerade etwas von ihrer Freundin Ursel aus München –, nimmt er ein Buch zur Hand und fängt an, unter dem Tisch zu lesen.
Hallo? Was hat das jetzt zu bedeuten?
„Jean-Pierre, was liest du denn da?“, fragt Omi.
„Ja, was liest du denn da?“, will auch Lena wissen.
„*Rien* … äh … nichts.“
„Nichts sieht aber anders aus.“ Lukas will schon nach dem Buch greifen, doch Jean-Pierre klappt es blitzschnell zu.
„Das … das ist für die Schule“, stottert er.
Wieder rutschen Omis Augenbrauen unter ihren Pony. „Für welche denn?“
„Meine Pariser Schule.“
Wenn mich nicht alles täuscht, ist er ein bisschen rot geworden.
„Aber das verstehe ich nicht, Jean-Pierre. Niemand kann von dir verlangen, dass du für zwei Schulen gleichzeitig lernst.“

Der Zahnspangenfranzose sieht mit einem Mal so aus, als hätte jemand einen Stöpsel gezogen und die Luft aus ihm rausgelassen. „Wenn ich zurückkomme, muss ich Nachprüfungen schreiben“, erklärt er leise. „Und wenn ich die nicht schaffe …“ Er gerät ins Stocken.
„Was dann?“, frage ich.
„Dann kriege ich Ärger mit meinem Vater.“
Wie aufs Stichwort geht die Haustür auf und mein Ex-Papi kommt herein. „Hallo, ich bin's!“, ruft er total gut gelaunt, im nächsten Augenblick lugt er in die Küche. „Ach, da esse ich doch am besten auch gleich einen Happen mit“, sagt er. „Ist Andrea noch mit der Kleinen beim Arzt?“
Omi nickt. Statt aufzustehen und ihm netterweise einen Teller zu holen, starre ich ins Nirgendwo. Irgendwie habe ich überhaupt keine Lust, mit meinem Ex-Papi am Tisch zu sitzen und Nudeln zu essen. Und dann noch dieses Grinsegesicht! Als hätte er eine Familienpackung Happy-nett-Pillen geschluckt. Er nimmt sich Teller und Besteck, setzt sich zu uns und quasselt munter drauflos. Nachdem er die Themen *Wetter* und *leckere Nudeln* abgehakt hat, fragt er Jean-Pierre, wie der erste Schultag für ihn war.
„Gut“, antwortet dieser höflich, „aber ich glaube, Mia …“
Wieder spricht er den Satz nicht zu Ende. Diesmal allerdings, weil ich ihn bedrohlich mit meinen maus-

fellkurzen Wimpern angeplinkert habe. *Wenn du noch ein Wörtchen sagst, mache ich dich briefmarkenplatt!*, soll das heißen.
„Ja, Mia? Was ist?“
„Nichts! Wieso soll auch was sein?“ Ich schiebe meinen Stuhl mit einem Ruck zurück und laufe in mein Zimmer. Tür zu. Hoffentlich kommt Lena jetzt nicht nach. Ich will mal ein paar Minuten für mich sein. Peinlich genug, dass ich heulen muss. Aber wenn Papi auch so unsensibel ist und nicht mal merkt, dass er Mist gebaut hat!
Zwei Heulminuten später klopft es und mein Ex-Papi steht in Strumpfsocken in der Tür.
„Mia-Spatz.“
Er räuspert sich ein paar Mal, lehnt sich gegen den Türrahmen und sagt gar nichts mehr. Bevor er noch festwächst, setze ich mich kerzengerade hin und erkläre: „Nur damit du’s weißt. Ich bin nicht mehr dein Spatz!“
Papi nickt (wieso nickt er?), dann kommt er rein und lässt sich mit einem leisen *Pfff* in den Schaukelstuhl fallen.
Er guckt mich an. Ich gucke zurück. Und zwar ziemlich giftig. Das kann ich echt gut.
„War es denn so schlimm für dich?“, fragt er, den Blick auf meine Schmetterlingssammlung geheftet.
„Ja, war es.“ Bloß nicht eine Silbe zu viel sagen.

„Und wieso?“
„Alle haben getuschelt, wirklich ALLE, aber du hast nur mich angemeckert! Und dann noch mit so einer fiesen Mecker-Stimme.“
„Tut mir leid, Mia.“ Er sieht mich minikurz an, dann starrt er auf seine Knie und fängt an zu schaukeln. „Als Lehrer ist man oft ungerecht, ohne dass man es eigentlich sein will. Und manchmal trifft es ausgerechnet die Schüler, die es am allerwenigsten verdient haben.“
Na toll. Hat Papi etwa sein halbes Lehrerstudium verschlafen?
„Und warum hast du mich in der zweiten Stunde nicht drangenommen? Ich hätte ganz viele Synonyme gewusst. Und Antonyme sowieso.“
„Das weiß ich doch.“ Papi schaukelt heftiger. „Du bist ein intelligentes Mädchen.“
„Und deswegen durfte ich nicht an die Tafel?“ Was ist das denn für eine Logik?
„Mia!“
„Ja, so heiße ich. Leider.“ Im Moment wäre es mir lieber, ich würde Sieglinde heißen und hätte einen anderen Papi.
„Glaub mir, das ist alles nicht so einfach für mich. Ich musste ja noch nie eins meiner Kinder unterrichten.“ Er hört auf zu schaukeln und schaut mich aus Augen an, die wie meine eigenen aussehen. „Ehrlich gesagt

hatte ich die ganze Zeit Angst, ich könnte dich bevorzugen. Verstehst du? Eben weil du meine Tochter bist. Weil ich stolz auf dich bin und …“ Er macht eine kleine Pause. „Weil ich dich so lieb habe.“
„Echt?“, kommt es piepsig aus meiner Kehle. Was daran liegt, dass ich auf einmal einen dicken Kloß im Hals habe. Ich weiß zwar, dass Papi mich lieb hat, aber er sagt es mir nie so direkt.
„Ja, echt.“ Er streckt seine Hand aus und tätschelt mein Knie. „Deswegen war ich wohl so ungerecht zu dir.“
Ich sage nichts. Wahrscheinlich müsste ich nur wieder losheulen.
„Das war dumm von mir und ich verspreche dir, dass es nicht wieder vorkommt. Ich werde mir jedenfalls allergrößte Mühe geben.“
„Mhm, okay“, nuschele ich und beschließe, dass mein Ex-Papi nun doch wieder mein Papi ist. Die anderthalb Stunden, in denen er bloß mein Ex-Papi war, waren schlimm genug.
„Indiancrfrieden?“
Papi hält mir die Hand hin und ich schlage ein.

Liebes (neues) Tagebuch,

Tusch! Dies ist der erste Eintrag in mein neues Schmetterlingstagebuch! In meinem alten Tagebuch waren zwar noch ein paar Seiten frei, aber ich wollte endlich in Jean-Pierres Geschenk schreiben. (Ich hoffe, mein altes Tagebuch ist jetzt nicht beleidigt.)
Und weil das so ist, strenge ich mich an, ganz, ganz ordentlich zu schreiben.
Bestimmt willst du wissen, wie mein erster normaler Nachmittag mit Jean-Pierre in unserer Wohnung war beziehungsweise ist, oder?
Hm, überleg, überleg. Immer wenn der s. Zahnspangenfranzose in mein Zimmer guckt und „Allô, allô!" ruft, ist es schön. (Sogar richtig kribbelig schön!) Wenn er es aber nicht tut und sich mit seinen französischen Schulbüchern in Lukas' Zimmer verkriecht, ist es eher unschön. Weil ich dann nämlich die ganze Zeit darauf warte, dass er mal bei mir vorbeischaut und „Allô, allô!" ruft. Und weil ich so sehr darauf warte, kann ich mich dann nicht auf meine Hausaufgaben konzentrieren.
Zum Glück ist wenigstens mit Papi wieder alles paletti. Bin mal gespannt, wie die nächste Unterrichtsstunde bei ihm wird. Die ersten beiden waren aus bestimmten Gründen ziemlich doof.
Ups, Moment, da hat eben jemand die Haustür zuge-

schlagen. Bestimmt Lukas, der zum Handballtraining geht. Ob ich mal schnell rüberflitze und gucke, was der s. Zahnspangenfranzose so treibt?

Ich klappe das Tagebuch zu und verstecke es unter meinen Schulsachen, dann tapse ich zur Tür.
„MIA!“, tönt es megagenervt hinter dem Stoffvorhang.
„Was denn?“
„Du störst mich bei den Schulas, wenn du ständig Pipimachen gehst!“
„Und du störst mich beim Pipimachengehen, wenn du ständig quengelst!“
Schwups bin ich aus dem Zimmer. Auf dem Flur ist zum Glück niemand zu sehen. Papi ist bestimmt in seinem Arbeitszimmer und Mami mit Josefinchen im Wohnzimmer. Jedenfalls kommen von dort gedämpfte Brabbelgeräusche.
Zirka einen Meter vor Lukas' Zimmertür bleibe ich stehen. Meine Beine fühlen sich an wie Wackelpudding. Kann ich da jetzt einfach so reinplatzen?
Ja, kannst du, Mia. Du wohnst schließlich hier, sagt eine Stimme in mir.
Nein, kannst du nicht, Jean-Pierre wohnt jetzt hier!, hält eine andere dagegen.
„Non! Non! Non!“, dringt es an mein Ohr.
Das war eindeutig Jean-Pierre. Und er klang nicht nach Friede, Freude, Eierkuchen.

Ich stelle meine Lauscher auf Mega-Empfang. Da! Irgendwas hat geklirrt! Ich trete dichter an die Tür heran, in diesem Moment sagt der Zahnspangenfranzose wieder etwas auf Französisch. Doch alles, was ich aus dem Wortschwall heraushören kann, sind die Wörter *Maman* (= Mama) und *Papa* (= Papa).

Es gibt zwei Möglichkeiten:

1. Jean-Pierre telefoniert mit seinen Eltern und regt sich tierisch über das auf, was sie sagen.
2. Jean-Pierre telefoniert mit einer anderen Person und regt sich tierisch über seine Eltern auf. (Ich rege mich ja selten über meine Eltern auf. Das mit Papi heute war eine Ausnahme.)

Jetzt blafft er richtig laut, dann höre ich etwas scheppern, im nächsten Moment ist es wieder still. Wahrscheinlich hat Jean-Pierre aufgelegt.

Ich überlege nicht lange und klopfe.

„*Oui?*" Es ist ein unfreundliches, richtig mega-giga-irre saures *Oui*.

Wahrscheinlich will Jean-Pierre jetzt niemanden sehen. Trotzdem drücke ich die Klinke runter. Erst mal springt mir nur das übliche Lukas-Chaos aus dreckigen Sportsachen, Bonbonpapier, Comics und Schulsachen ins Auge. Im hinteren Teil des Zimmers liegt Jean-Pierres Matratze. Darauf ein Berg von Decken und Kissen. Aus diesem Berg schält sich jetzt eine dunkelhaarige Gestalt hervor.

„Jean-Pierre?“, frage ich. Doofe Frage. Wer sollte der Junge sonst sein?
Er schaut zu mir und wischt sich Tränen aus dem Gesicht.
Ach, du dicker Schmetterling! Abgesehen von meinem Bruder habe ich noch nie einen Jungen weinen sehen. (Lukas hat mal geheult, als er so pickelig wie ein Streuselkuchen war.) Nicht mal einen der pappnasigen Jungs aus meiner Klasse.
„Ähm, das ist mir jetzt peinlich“, nuschelt Jean-Pierre und reibt sich die Augen.
„Das muss dir nicht peinlich sein“, sage ich. „Ich habe heute auch geheult. Wegen Papi. Weil er mich im Unterricht so blöd angemacht hat.“
Jean-Pierre nickt und lächelt ein klitzekleines *Schön-dass-du-da-bist*-Lächeln. Ähm, ähm, ähm. Wieso guckt er mich denn jetzt so an?
„Soll ich mal Eis holen?“, frage ich.
Ohne seine Antwort abzuwarten, flitze ich rüber in die Küche. Mami wird mir schon nicht den Kopf abreißen, wenn ich zwei Eis aus dem Gefrierfach nehme. Das hier ist ein Notfall.
Zum Glück erwischt mich niemand in der Küche und dann bin ich auch schon wieder zurück. Vorsichtshalber mache ich die Tür zu.
„*Merci*, Mia.“ Jean-Pierre nimmt das Eis und setzt sich auf Lukas’ Bett. „Du bist echt lieb.“

Du bist echt lieb ... Wie süß das aus seinem Mund klingt!
Ich wickele das Eis aus und setze mich neben ihn. Auch auf die Gefahr hin, dass mein Bruder mich briefmarkenplatt macht, falls er überraschend nach Hause kommt.
„Und wer ist nicht so lieb zu dir?", fühle ich vorsichtig vor. Ich weiß ja nicht mal, ob Jean-Pierre überhaupt über den unschönen Vorfall sprechen will. Aber dass irgendwas passiert ist, ist ja wohl klar wie Kloßbrühe.
„Meine Eltern", kommt es wie aus der Pistole geschossen. Dann folgt ein Wortschwall auf Französisch, von dem ich kein Wort verstehe.
„Wie jetzt?" Ich schwenke mein Eis und prompt tropft es auf Lukas' Bettwäsche. Shitikowski! Mein Bruder wird mich in einer Rakete ins Weltall schießen, wenn er mitkriegt, dass ich das war.
„Meine Eltern wollen mich ..." Er guckt verzagt sein Eis an. „Sie wollen mich ins Eliteinternat stecken."
Mein erster Gedanke:
Wow, Eliteinternat klingt doch toll!
Mein zweiter: Wenn ich auf so ein Internat sollte und meine Freundinnen und meine Familie verlassen müsste, wäre das alles andere als toll!
„Und warum willst du da nicht hin?", hake ich nach.
In Windeseile verputzt Jean-Pierre sein Eis, dann erzählt er stockend von seinen Schulproblemen. Dass

er ständig die Klassenarbeiten verhauen und am Ende des Schuljahres gerade mal so durchrutschen würde.
„Und wenn du mehr lernst?“
„Das tue ich ja schon. Aber je mehr ich mich anstrenge, desto schlechtere Noten schreibe ich.“
Das war bei mir auch mal so. Zumindest in Mathe. Aber seit ich Nachhilfe bei Diego Kranfelder habe, läuft alles bestens. Diego ist ein richtiges Erklär-Wunder. Bei ihm würde selbst noch ein Eichhörnchen Parallelogramme verstehen.
„Vielleicht brauchst du einfach nur einen guten Nachhilfelehrer?“, schlage ich vor.
„Schon probiert.“ Jean-Pierre zieht eine zerknirschte Zwergpinscher-Miene. „Meine Wissenslücken sind einfach zu groß.“
„Aber in Deutsch bist du bestimmt richtig gut, oder?“
Er nickt und ein Mundwinkel hebt sich. Allerdings nur minikurz, dann zieht er schon wieder ein Weltuntergangsgesicht.
Könnte ich ihm nur irgendwie helfen! Die Gedanken rattern durch mein Hirn wie Münzen durch den Daddelautomaten, dann frage ich: „Warum gehst du nicht freiwillig eine Klasse zurück? Man muss doch nicht gleich die Schule wechseln.“
„Ich würde ja gerne, aber mein Vater ist dagegen.“
Das verstehe ich nicht. Papi sagt immer, dass es bes-

ser ist, eine Klasse freiwillig zu wiederholen, als sich durch viel zu schwierigen Unterrichtsstoff zu quälen.
„Ein Versager wie ich ist für ihn das Allerschlimmste." Seine Hände fallen schlaff in den Schoß. „Papas Söhne bleiben nicht sitzen, verstehst du? Sie werden was ganz Tolles."
„Was ist denn was Tolles?"
„Anwalt. So wie er selbst. Und wie mein Bruder."
Das klingt alles so mega-giga-irre schrecklich, dass ich Jean-Pierre am liebsten in den Arm nehmen würde. Aber das geht natürlich nicht. Ich kann keinen Jungen drücken, mit dem ich a) nicht verwandt bin, der b) vom Planeten der supersüßen Zahnspangenprinzen stammt und in den ich c) nicht verliebt bin. Ich meine, so wie Jette ständig in irgendwelche Jungs verliebt ist. Also hocke ich einfach nur da und warte auf eine Fee, die gleich hereinschneit und Jean-Pierre drei Wünsche mit auf den Weg gibt.
Aber die Fee kommt nicht. Stattdessen wird die Tür aufgestoßen, Lena schaut ins Zimmer und trötet: „Knutscht ihr etwa?"
„Hau bloß ab!"
Ich springe auf und jage hinter ihr her. Leider kriege ich sie nicht zu fassen. Das ist bloß ihr Glück. Denn sonst würde ich sie am Schlafittchen packen und durch die halbe Stadt zerren, um sie beim Amt für supernervige Geschwister abzugeben.

Ein echtes Franzosen-Wunder

Die Zeit mit Jean-Pierre flutscht nur so dahin. Die Tage sind ziemlich kuddelmuddelig, aber wunderWUNDERschön!

Was alles passiert:
1. Mein Herz fährt so viele Loopings, dass mir ständig ein bisschen schwindelig ist.
2. Jette kommt ziemlich oft vorbei. Angeblich, um mit mir Hausaufgaben zu machen. In Wirklichkeit will sie bestimmt Jean-Pierre so oft wie möglich sehen. Was ich natürlich verstehen kann. Er ist ja auch unser gemeinsamer Freund.
3. Das Mia-Jean-Bild sieht neben dem Schmetterlingsposter wunderWUNDERschön aus!
4. Lukas ist wie weichgespült. Was wohl daran liegt, dass er sich mit Jean-Pierre richtig gut versteht. Das freut mich einerseits. Andererseits bin ich auch ein bisschen eifersüchtig, wenn die beiden dauernd in Lukas' Zimmer abhängen und quatschen.

5. Jean-Pierre paukt in jeder freien Sekunde. Manchmal sogar auf dem Klo oder wenn wir im Supermarkt an der Kasse warten müssen. Hoffentlich besteht er die Nachprüfungen! Und hoffentlich darf er an seiner Schule bleiben!
6. Nachts plündert er manchmal den Kühlschrank, wenn er einen Hungeranfall bekommt. Dann ist die Aufschnittbox morgens leer, doch Lukas beschwert sich nicht mal darüber.
7. In der Schule läuft alles easy-piesi. Die Mädchen himmeln Jean-Pierre nach wie vor total an, aber die Pausen verbringt er zum Glück mit Jette, Leonie, Alina, Mr Rülps und mir.
8. Mr Rülps ist auch schwer beeindruckt vom Franzosen. Manchmal vergisst er sogar zu rülpsen. Ich wette, er lässt sich bald die Haare länger wachsen, macht sich eine Dauerwelle und schafft sich eine Zahnspange an.
9. Papi hält sich an sein Versprechen und nimmt mich im Unterricht ganz normal dran, wenn ich mich melde. Trotzdem ist es immer noch ein komisches Gefühl, ihn als Lehrer zu haben.
10. Ich erzähle Omi von Jean-Pierres strengen Eltern. Sie findet das mega-giga-irre unpädagogisch.
11. Manchmal leiht Jette Jean-Pierre ihre Brille. Damit kann er etwas besser erkennen, was an der Tafel steht. Mit Jettes Brille sieht er superSUPERsüß aus.

Was alles nicht passiert:
1. Mein Bruder entdeckt zum Glück nicht den Eisfleck auf seiner Bettwäsche. Uff!
2. Die Hafenrundfahrt mit Jean-Pierre ist leider gestrichen. Weil Papi Klassenarbeiten korrigieren muss, Mami langsam wieder ihre Fußpflegepraxis bei uns im Souterrain in Betrieb nehmen will und Josefinchen einen fiesen Schnupfen hat.

Dann ist Freitag. Der Tag unserer Ballettstunde. Früher hatten Jette und ich mittwochs Ballett, doch seit unsere Lehrerin Frau Georgi angehende Tänzerinnen an einer anderen Schule unterrichtet, ist die Stunde auf Freitag verschoben worden.
Der Bus kommt pünktlich und wir kramen unsere Fahrkarten raus. Wir, das sind Jean-Pierre, Jette und ich. Ich finde es immer noch mega-giga-irre peinlich, dass er zugucken will, aber ich konnte es nicht verhindern. Was hätte ich denn auch sagen sollen? Dass ich keine begnadete Ballerina bin? Das hätte ihn kaum abgeschreckt.
Beim Einsteigen gibt es ein ziemliches Kuddelmuddel. Höflich, wie Jean-Pierre ist, will er uns vorgehen lassen. Dabei verheddert sich Jette in den Schlaufen meiner Balletttasche, stolpert und legt sich auf den

Stufen lang hin. Jean-Pierre hilft ihr auf, wobei ihre langen blonden Haare in die Falttür geraten, die sich gerade schließt.

„Aufmachen!“, kreische ich in Panik.

Zum Glück drückt der Busfahrer sofort den richtigen Knopf und befreit Jettes Traummähne.

So weit der erste Schreck. Der zweite folgt kurz darauf, als wir zur Ballettschule kommen und die schwere schmiedeeiserne Tür aufstoßen.

„Wo wollen Sie denn hin, junger Mann?“, ertönt eine tiefe Stimme in unserem Rücken. Sie erinnert mich ziemlich an Frau Georgi.

Wir fahren herum. Logisch, es *ist* auch Frau Georgi, unsere Ballettlehrerin. Wie üblich ist sie ganz in Schwarz gekleidet und hat ihre roten Haare zu einem Dutt gesteckt.

„Das ist Jean-Pierre aus Paris“, sage ich. „Unser Austauschschüler. Und er möchte gerne zugucken.“

Frau Georgis Lippen werden schmal, dazu kraust sie die Stirn. Wenn sie so im Unterricht guckt, haben wir garantiert was falsch gemacht und sollen uns gefälligst mehr anstrengen.

„Zuschauer haben bei uns aber nichts verloren“, erklärt sie. „Und Männer schon mal gar nicht.“

Jean-Pierre ist doch kein Mann, sondern ein Junge, würde ich am liebsten entgegnen, doch meine Lippen sind wie zugetackert.

„Jean-Pierre interessiert sich aber mega fürs Ballett!“, sagt Jette.
„Mega. Soso.“ Frau Georgi lächelt schmal.
„Stimmt doch, oder, Jean-Pierre?“
Der süße Zahnspangenfranzose nickt. *„Oui, oui.* Ich war schon oft mit meiner Mutter an der Pariser Oper. Mein Lieblingsballett ist *Le lac des cygnes.“*
Wahrscheinlich flunkert Jean-Pierre gerade gewaltig. Er und Ballett – das wüsste ich aber!
„Ah, *Schwanensee*!“ Frau Georgis Augen fangen an zu glänzen. „In der Choreographie von Nurejew?“
Jean-Pierre schüttelt den Kopf. „Non, non. Tschaikowsky.“
Ach, du dicker Schmetterling! Tschaikowsky ist der Komponist von *Schwanensee*, nicht der Choreograph. Das weiß sogar ich!
Prompt erlischt Frau Georgis Lächeln. „Ich glaube, du verstehst vom Ballett genauso viel wie ich vom Fußball.“
„Mais non!“, protestiert Jean-Pierre. „Ich hatte zwei Jahre Unterricht bei Madame Cheval in Versailles.“
Ich stoße Jette klammheimlich in die Rippen. Das ist bestimmt genauso erstunken und erlogen. Sonst hätte er uns neulich garantiert davon erzählt.
Hoffentlich schickt Frau Georgi ihn raus. HOFFENTLICH!
Aber Frau Georgis Gesichtszüge glätten sich und sie

sagt: „Also gut, Jean-Pierre. Das hier ist zwar eine reine Mädchengruppe, aber du darfst ausnahmsweise mitmachen."
Bevor er auch nur Piep sagen kann, schiebt sie ihn in den Vorraum, dann eilt sie mit ihren auswärts gedrehten Ballettfüßen die Treppen hoch. Oben dreht sie sich noch mal um und lockt ihn wie die Hexe im Märchen. „Komm, komm, mein Junge! Wir finden bestimmt ein Paar Schläppchen in deiner Größe."
Jean-Pierres Blicke irren umher – wahrscheinlich kriegt er gerade Muffensausen –, dann gibt er sich aber einen Ruck und folgt Frau Georgi flink wie ein Wiesel.
„Ich fass es nicht, ich fass es nicht, ich fass es nicht", ächzt Jette.
Ich fasse es genauso wenig und ziehe sie blitzschnell in die Umkleidekabine. Während sie ihre Jacke in den Spind hängt, lasse ich mich wie einen nassen Sack auf die Holzbank fallen und schnaufe erst mal eine Runde.
Jette kichert. „Jean-Pierre mit uns an der Ballettstange … Ist das nicht irre?"
„Weiß nicht", sage ich. „Er hat doch bestimmt gelogen und wird sich gleich bis auf die Knochen blamieren."
„Vielleicht tanzt er aber auch ganz toll. Weil er ein Naturtalent ist." Jette zieht ihr rotes Balletttrikot aus ihrer Tasche und wedelt damit, als wolle sie sich Luft

zufächern. „Blöd ist nur …“ Sie verstummt und hört auch mit dem Gewedel auf.

„Was ist blöd?“

„Dass er jetzt gar nicht zuguckt und sieht, wie toll wir sind.“

„Du meinst wohl, wie toll *du* bist.“

Jette ist neben Helene und Nienke, den beiden Sternchen aus unserer Ballettklasse, die Beste. Wie aufs Stichwort kommen die Megaputen herein und schleudern ihre rosafarbenen Rücksäcke auf die Bank.

„Habt ihr schon gehört?“ Nienke reckt ihre Nase blasiert in die Luft. „Heute macht ein Junge bei uns mit.“

„Ein Franzose!“ Helena grinst so triumphierend, als hätte sie Frankreich samt seinen Einwohnern, Baguette und Käse erfunden.

„Ja, weiß ich“, antworte ich lässig. „Der Franzose wohnt zufällig bei mir.“

„Bei dir?“ Helena reißt die Augen auf. Wahrscheinlich denkt sie: *Ausgerechnet bei dir? Der mittelmäßigsten Ballettschülerin im ganzen Universum?*

„Ja, Jean-Pierre ist unser Austauschfranzose“, erklärt Jette und schlüpft in ihr Trikot. „Wir kennen ihn schon aus Berlin.“

„Aha“, sagt Nienke und kehrt uns den Rücken zu.

Alles klar. Der hat es wohl die Sprache verschlagen.

Mir verschlägt es kurz darauf auch die Sprache, als wir in den Ballettsaal kommen und Jean-Pierre in

rosafarbenen Strumpfhosen, rosa Schläppchen und einem himmelblauen T-Shirt auf uns zusteuert. Er sieht aus wie ein Riesenbaby, das sich nicht entscheiden kann, ob es ein Junge oder ein Mädchen sein will. Wie konnte Frau Georgi ihm das nur antun!
Jette kichert leise in ihren blonden Haarvorhang. Ich stoße sie in die Rippen. Es ist total gemein, sich über ihn lustig zu machen. Zumal jetzt auch andere Schülerinnen tuschelnd und kichernd hereinkommen und ihn wie das achte Weltwunder begaffen.
Ich würde ihn zu gerne fragen, ob er wirklich schon mal Ballettunterricht hatte, aber Frau Georgi tänzelt in den Saal und klatscht in die Hände. Das Zeichen für uns, auf unsere Plätze an der Stange zu gehen.
„Jean-Pierre, du stellst dich bitte zwischen Nienke und Helena." Sie deutet auf die blöden Puten. „Von den beiden kannst du am besten abgucken."
Grrr, denke ich nur, bin aber insgeheim froh, dass er nicht von mir abgucken soll. Wahrscheinlich würde ich in einer Tour patzen.
Frau Georgi stellt die Musik an und los geht's. Wir beginnen mit *Pliés* in der ersten Position. Jette übt vor mir, und als Frau Georgi ihre Armhaltung korrigiert, nutze ich den Moment und schiele zu Jean-Pierre rüber. Bevor ich auch nur meine Augen auf scharf gestellt habe, erlebe ich ein echtes Franzosen-Wunder! Jean-Pierre sieht in den rosa Strumpfhosen zwar

mega-albern aus, aber anscheinend hat er nicht gelogen. Er kennt die erste, die zweite, die vierte und die fünfte Position, er weiß, wie man die Arme hält, und er streckt die Zehenspitzen wie ein echter Balletttänzer. Ich bin einfach nur baff.
Frau Georgi staunt ebenfalls.
„*Très bien*, Jean-Pierre!“, lobt sie ihn immer wieder.
Nienke und Helena wollen wohl auch ein *très bien* hören oder vor Jean-Pierre angeben, so wie sie sich ins Zeug legen. Nienkes Bein fliegt so hoch, dass es bestimmt gleich gegen ihre eigene Nase donnert, Helena biegt und beugt sich wie eine Lilie im Wind. Ehrlich, ich bin ganz schön neidisch. Ich kann noch so viel üben, mein Bein will einfach nicht so, wie Frau Georgi und ich das wollen. Und mit einer Lilie im Wind habe ich schon gar keine Ähnlichkeit.
Das Training an der Stange ist zu Ende und wir gehen zu den Übungen *au milieu*, also in der Mitte des Raumes, über.
„Du hast ja gar nicht geflunkert“, wispere ich Jean-Pierre zu, als wir uns für die Pirouetten aufstellen. Inzwischen finde ich es schon nicht mehr ganz so komisch, dass er in einer Mädchenstrumpfhose herumläuft.
„*Mais non!* Warum auch?“
„Weil … also, ich dachte …“
Frau Georgi klatscht wieder in die Hände.

„Mia, fängst du bitte an?“

Ach, du dicker Schmetterling! Die Drehungen in der Diagonale finde ich besonders schwer. Es gibt zwar einen Trick, damit einem nicht schwindelig wird, aber irgendwie haut er bei mir nicht hin. Meistens muss ich schon nach zwei, drei Drehungen abbrechen und Frau Georgis Gemecker über mich ergehen lassen.

Das kann ja nichts werden, Mia. Du hast keinen Punkt fixiert. Herrje, du sollst doch einen Punkt fixieren! Guck dir an, wie Helena das macht. Blablabla.

Ich stelle mich in die fünfte Position, auf geht's. Jean-Pierre guckt bestimmt nicht hin, rede ich mir gut zu. Dem ist es doch total schnuppe, wie ich die Übung mache. Und wenn er guckt, ist es ihm auch egal ... Mir wird flimmerig im Kopf, ich fange an zu trudeln und bloß einen Wimpernschlag darauf schlage ich lang hin.

„Mia!“, ertönt Frau Georgis Stimme. „Du hast wieder mal keinen Punkt fixiert! Du sollst doch einen Punkt fixieren!

„Weiß ich doch“, murmele ich peinlich berührt und rappele mich hoch. Bestimmt bin ich knallrot geworden. Wenigstens haben die Puten nicht gelacht.

„Jette?“ Frau Georgi wedelt mit der Hand.

Jette ist ein echtes Ass im Pirouettendrehen. Meistens halte ich ihre Brille, damit die ihr nicht von der Nase fliegt, während sie durch den Ballettsaal tanzt. So

auch jetzt. Jette legt los, doch auch bei ihr ist plötzlich der Wurm drin. Sie wirbelt nämlich so schnell herum, dass sie vom Kurs abkommt und ein paar Trudelmomente später gegen das Klavier rumst.
„Autsch!“, kreischt sie.
Frau Georgi kommt angelaufen und hilft ihr auf.
„Alles in Ordnung?“
Jette nickt, jault aber leise. Im Gegensatz zu mir hat sie sich wohl richtig wehgetan.
„Mädchen, was macht ihr nur!“ Frau Georgi schlägt die Hände überm Kopf zusammen. „Ihr könnt das doch viel besser!“
„Keine Ahnung“, murmelt Jette, „mir war plötzlich so komisch.“
„Nienke, Helena. Zeigt doch Jean-Pierre bitte mal, wie perfekte Pirouetten aussehen, ja?“
„Sehr gerne, Frau Georgi“, sagt die eine Streber-Pute und die andere lächelt Jean-Pierre mit Glimmerblick an.
Wie üblich wirbeln die beiden Puten nur so übers Parkett. Frau Georgi strahlt, Jean-Pierre lächelt beeindruckt, Jette zieht ein Saure-Gurken-Gesicht und ich ... keine Ahnung, wie ich gucke. Bestimmt nicht gerade begeistert.
„Warum können die nicht auch mal hinfliegen?“, flüstert Jette mir zu.
Ich will gerade sagen, dass man die Streberinnen

verhexen müsste, als es passiert. Nienke fängt an zu kippeln, Helena guckt irritiert zu ihr rüber, verliert dabei das Gleichgewicht und in der nächsten Sekunde macht es *dong!*. Die beiden Ballettsternchen liegen am Boden. Unfall Nummer drei.

Jette gluckst schadenfroh. Nienke beißt tapfer die Zähne zusammen und hilft ihrer Freundin wieder auf die Beine.

Frau Georgi tritt kopfschüttelnd hinters Klavier.

„Was ist denn heute bloß mit euch los? Hat Jean-Pierre euch so verzaubert, dass ihr nicht mehr tanzen könnt?"

Ein paar Mädchen kichern leise.

„Jette hat getuschelt!", petzt Nienke mit hochrotem Kopf. „Da bin ich durcheinandergekommen."

Was für eine blöde Kuh!

„Nienke." Frau Georgi stemmt die Hände in die Hüften. „Stell dir vor, du wärst eine Profitänzerin an der Staatsoper."

Nienke nickt und lächelt ein klebrig süßes Zuckerwattelächeln. Klar. Das kann sie sich supergut vorstellen.

„Und stell dir jetzt mal weiter vor, jemand hustet im Zuschauerraum, während du tanzt. Lässt du dich dann auch irritieren und fällst hin?"

Nienkes Lächeln erlischt und ihr Kopf sackt aufs Brustbein. „Tut mir leid, das war ein dummer Unfall."

„So sehe ich das auch. Wer ist jetzt dran?"

Die schüchterne Anna zeigt auf. Sie ist keine besonders ausdrucksstarke Tänzerin, aber sie schafft die Übung, ohne hinzufallen oder sich irgendwo zu stoßen. Der Rest der Gruppe ebenso. Am Ende ist nur noch Jean-Pierre übrig und auch er wirbelt so gekonnt durch den Raum, dass ich einfach nur megaplatt bin. Frau Georgi strahlt.
Jette steht wie festgetackert neben mir und murmelt: „Ich fass es nicht, ich fass es nicht, ich fass es nicht."
„Ich fass es auch nicht", murmele ich hinterher.
Sie kneift mich. „Und du wusstest gar nichts davon?"
Ich schüttele den Kopf. Unsere Mails waren immer nur minikurz und wir haben uns auch nie über Ballett ausgetauscht.
Als wäre der Bann gebrochen, geht der Rest der Stunde unfallfrei über die Bühne. Nienke und Helena strengen sich weiter an, als wollten sie schon morgen an der Oper vortanzen, aber auch ich gebe mir große Mühe. Zum Glück mit Erfolg. Denn als wir kurz darauf den Ballettsaal verlassen, raunt Jean-Pierre mir zu, dass ich ja so *formidable* (also toll) getanzt hätte. Nicht Helena sagt er das, nicht Nienke und auch nicht Jette, sondern MIR! Der mittelmäßigen Mia mit den mausbraunen Haaren und den mausfellkurzen Wimpern. Wie mega-giga-irre nett von ihm!

Ein total berühmter Onkel

Die nächste Deutschstunde bei Papi steht ganz im Zeichen der Lesenacht. Als Vorbereitung sollen wir in Gruppenarbeit ein Arbeitspapier über eine Schriftstellerin oder einen Schriftsteller erstellen und uns überlegen, aus welchem Buch jeder von uns eine kleine Passage vorlesen möchte.
„Vor allen?“, erkundigt sich Irina ängstlich. Sie lebt noch nicht so lange in Deutschland. Wahrscheinlich ist es für sie der totale Horror, etwas laut vorzulesen.
Papi nickt. „Aber wenn du nicht magst, Irina, musst du auch nicht. Wahrscheinlich kommen sowieso nicht alle dran. Ich möchte nur, dass jeder von euch sein Lieblingsbuch mitbringt.“
Henning zeigt auf. „Geht auch *Die Hand des Grauens*?“
Ein paar Leutchen gackern los. Ich presse die Lippen zusammen, damit ich nicht auch loswiehere.
Wir haben das Buch, in dem es um gehörnte Skelette mit glühenden Augen geht, mal bei Frau Müller-

Stegemann im Unterricht gelesen. Es war so grottig schlecht, dass wir uns alle bloß gewundert haben, doch Frau Müller-Stegemann war es wichtig, dass wir genau das erkennen. Nur Henning hat es anscheinend nicht gerafft.
„Ich kenne das Buch nicht“, erklärt Papi. „Aber wenn es dein Lieblingsbuch ist, darfst du gern daraus vorlesen.“
„Dann kriege ich aber einen Anfall“, flüstere ich Streber-Christi zu, die auch schon die ganze Zeit am Gickeln ist.
„Erzählt doch mal, Mia und Christi“, sagt Papi in normaler Tonlage. „Wieso ist das so lustig?“
Zum Glück finde ich es mittlerweile nur noch mittelpeinlich, wenn er mich drannimmt. Ich erzähle von den gehörnten Skeletten mit den glühenden Augen, die durch Spiegel springen, und Christi ergänzt, dass sich diese an die Seele von Pim Pimpernelle andocken.
Jettes Finger schnellt in die Höhe.
„Ja, Jette?“
„Dadurch wird Pim Pimpernelle bösartig und seine Gliedmaßen faulen ab, bis er nur noch ein Skelett ist.“
Papi setzt sein Pokerface auf und lässt nicht erkennen, was er darüber denkt, dann teilt er die Gruppen per Losverfahren ein. Jean-Pierre, Alina und Mr Rülps sind in meiner Arbeitsgruppe und ich stoße in-

nerlich einen Jubelschrei aus. Wahrscheinlich gibt es im Himmel einen Gruppenarbeits-Gott, der mich erhört hat. Ich wollte nämlich auf Biegen und Brechen mit Jean-Pierre in eine Gruppe und so ist es auch gekommen.

Alina, Mr Rülps, Jean-Pierre und ich freuen uns schon riesig auf die gemeinsame Arbeitsstunde, die in der Sechsten in der Schulbibliothek stattfinden soll. Nur eine guckt etwas sparsam aus der Wäsche: Jette. Ich kann sie gut verstehen. Sie ist nämlich – oh Hölle – mit Jens, Lars und Oliver in einer reinen Jungsgruppe gelandet. Jette hat ja bekanntlich nichts gegen männliche Wesen – heute trägt sie sogar ihr *Ein Leben ohne Jungs – nein, danke!*-T-Shirt –, aber die sollten dann echte Traumtypen und nicht die Pappnasen aus unserer Klasse sein. Da kann ich ihr leider auch nicht helfen. Der Arbeitsgruppen-Gott hat so entschieden.

Trotzdem schielt sie später in der Bibliothek immer wieder sehnsüchtig zu uns rüber. Nicht nur, dass wir eine so tolle Gruppe sind, wir haben auch noch mit dem kuscheligen Sofa, das gleich bei den Zeitschriften neben der Eingangstür steht, das bequemste Plätzchen ergattert. Jette hockt mit den Pappnasen-Jungs auf dem Fußboden vorm Comic-Regal. Ihre Glanzhaare hängen matt herunter und sie guckt so traurig, dass ich sie am liebsten knuddeln möchte. Die Arme!

„So“, sagt Alina, die für heute freiwillig die Leitung unserer Gruppe übernommen hat. „Habt ihr einen Vorschlag, welchen Schriftsteller oder welche Schriftstellerin wir nehmen könnten?“
„Antoine de Saint-Exupéry“, sagt Jean-Pierre wie aus der Pistole geschossen.
„Wer soll das denn sein?“, will Mr Rülps wissen.
Auch Alina und ich gucken fragend.
„Er ist sehr berühmt. Er hat *Le petit Prince* geschrieben. Auf Deutsch heißt das Buch ... glaub ich ... *Der kleine Prinz.*“
„Das ist aber kein deutscher Autor“, wendet Alina ein.
Jean-Pierres Blick geht zu mir. „Hat dein Vater denn gesagt, dass der Schriftsteller ein Deutscher sein muss?“
Ich zucke mit den Schultern. „Aber vielleicht sollte es einer sein, den alle kennen. Jemand wie Goethe oder Schiller oder so.“
Mr Rülps schnippt aufgeregt mit den Fingern und ruft: „Heribert Dinkelstein!“
„Häh?“, mache ich. „Den kenn ich aber nicht.“
„Das ist mein Onkel!“, erklärt er mit stolzgeschwellter Brust. „Er hat ein total spannendes Buch über Nacktschnecken geschrieben.“
„Nacktschnecken?“, fragt Jean-Pierre. „Sind das ... *pardon* ... nackte *escargots*? Also Schnecken?“

Während Alina auflacht, sagt Mr Rülps todernst: „Ja, ganz nackt. Und sie fressen jedes Salatbeet leer."
Alina hört auf zu kichern. „Klingt irgendwie spannend."
Ich fasse es nicht! Meint sie das wirklich ernst? Ausgerechnet sie, die sonst nur Liebesschmöker liest?
Ein paar Mädchen aus den höheren Klassen kommen quatschend in die Bibliothek. Als sie Jean-Pierre entdecken, verlangsamen sie ihren Schritt, glotzen ihn mit murmelrunden Augen an und fangen an zu kichern. Eigentlich ist das immer so, wenn Jean-Pierre irgendwo auftaucht. Alle gucken, tuscheln, kichern oder fallen halb in Ohnmacht.
„Ähm, ich weiß ja nicht, Kaspar", sage ich, nachdem die Mädchen vorbeigegangen sind. „Dein Onkel ist bestimmt ein ganz toller Schnecken-Schriftsteller, aber so berühmt wie Goethe ist er nicht."
„Aber er wird bestimmt noch so berühmt! Wenn sich das mit dem Schneckenbuch erst mal rumspricht."
Ja, und wenn er noch ein Buch über Warzenschweine mit glühenden Augen schreibt, die sich an die Seele von Pim Pimpernelle andocken, erlangt er garantiert Weltruhm.
„Kaspar!" Alina hört sich fast wie unsere Lehrerin Frau Müller-Stegemann an, wenn sie sauer auf uns ist. „Auch wenn's spannend klingt, das ist kein Roman."
„Ja und? Buch ist Buch."

„Eben nicht. Mias Vater hat nichts von einem Sachbuchautor gesagt."
Mr Rülps lässt seine Arme trauerweidenartig hängen. Er tut mir fast schon ein bisschen leid mit seinem nicht besonders berühmten Schriftsteller-Onkel.
„So, weitere Vorschläge?", fragt Alina, aber unsere Hirne sind plötzlich leer. Niemandem von uns fällt ein Schriftsteller oder eine Schriftstellerin ein, über die wir schreiben könnten. Anscheinend ist unsere Gruppe die einzige, die gerade total auf dem Schlauch steht. Alle diskutieren angeregt und kritzeln etwas in ihre Hefte, selbst Jette und die Pappnasen.
Jean-Pierres Blick gleitet an die Decke, dann verkündet er: *„Une glace!"*
„Wie, was?" Ein Minirülpser kommt aus Kaspars Mund.
„Vielleicht sollten wir ein Eis essen gehen." Jean-Pierre grinst. „Dann fällt uns bestimmt auch was ein."
„Aber wir können doch nicht mitten im Unterricht rausgehen", meint Alina.
„Warum denn nicht?" Jean-Pierre blickt sich verstohlen um. „Merkt doch sowieso keiner."
„Doch, mein Portemonnaie", grunze ich.
Jean-Pierre schiebt seine Hand in die rechte Hosentasche und es klimpert. „Ihr seid eingeladen."
„Yippie!", ruft Mr Rülps und macht im Sitzen einen kleinen Hüpfer.

„Psst, nicht so laut“, ermahnt Alina ihn. „Oder sollen alle mitkriegen, dass wir uns verdünnisieren?“
Ganz bestimmt nicht. Es wäre ziemlich dumm, wenn Papi Wind von der Sache bekommt. Nur Jette und Leonie müssen wir später die Wahrheit sagen. Meine besten Freundinnen anlügen – das geht gar nicht!
Wir packen unsere Sachen zusammen, dann huschen wir auf leisen Sohlen zur Tür hinaus. Niemand versucht uns aufzuhalten und auch in der Aula lauern keine bösen Hausmeister, Lehrer oder übereifrige Schulsekretärinnen.
So hocken wir schon kurz darauf in der Eisdiele nebenan vor unseren Eisbechern. Ich neben Jean-Pierre, Alina (die blitzschnell ihren Blutzucker gemessen hat) neben Mr Rülps. Jeder, der uns jetzt so sieht, könnte denken, dass wir bloß zwei Pärchen sind, aber keine Arbeitsgruppe, die im Schweiße ihres Angesichts nach einem Thema sucht. Und das macht mich ganz schön stolz. Ich fühle mich nämlich, als wäre ich in einer Turbomaschine gereift.
Die erste Viertelstunde verplappern wir einfach so. Die Aufgabe, die Papi uns gestellt hat, ist gaaanz weit weg, bestimmt schon zehnmal um die Ecke und in einem anderen Universum. Aber das ist mir gerade ziemlich schnuppe. Ich genieße es, hier mit Jean-Pierre, Alina und Mr Rülps zu sitzen und so zu tun, als gäbe es die Schule gar nicht. Und als wäre es auch

nicht verboten, mitten im Unterricht abzuhauen und Eis essen zu gehen. Keine Ahnung, was passiert, wenn wir doch noch erwischt werden. Ob wir dann eine richtig fiese Strafe aufgebrummt bekommen.
Ein Mädchen mit wild abstehenden Zöpfen kommt ins Café und Alina kreischt los: „Ich hab's!“
„Was hast du?“, will ich wissen.
„Pippi!“ Sie deutet verstohlen auf das Mädchen. „Wir nehmen die Schriftstellerin Astrid Lindgren! Sie ist berühmt und hat viele tolle Bücher geschrieben.“
Während Jean-Pierre eifrig nickt und erlärt, dass *Fifi Brindacier* und *Les frères Cœurs-de-Lion,* auf Deutsch *Pippi Langstrumpf* und *Die Brüder Löwenherz*, früher seine Lieblingsbücher waren, rührt Mr Rülps in seinem Eisbecher. Er sieht so tiefgefroren aus wie eben noch das Eis.
„Kaspar, magst du die Bücher nicht?“ Alina tätschelt den Ärmel seines Shirts. „Sollen wir weiter überlegen?“
„Mir doch egal“, brummt er.
„Wie, dir ist das egal?“, bohrt Alina weiter.
„Egal ist egal. Verstehst du kein Deutsch?“
Was ist denn plötzlich in Mr Rülps gefahren? Er ist zwar manchmal etwas unterbelichtet, aber er blafft doch nie seine Herzallerliebste Alina so an!
„Kaspar!“ Jean-Pierre rempelt ihn an.
„Was'n?“

„*Pardon*, aber das war nicht besonders nett von dir."
Mr Rülps macht ein kleines Bäuerchen, dann entschuldigt er sich bei Alina und sagt, dass er die Bücher von dieser Grenlind gar nicht kennen würde.
„Lindgren", verbessert ihn Alina. „Du hast nie ein Buch von ihr gelesen?"
„Nee, stell dir vor. Ich les nur Comics. Und das Schneckenbuch von meinem Onkel."
Einen Moment herrscht beklommenes Schweigen. Alina sackt zu einem kleinen Häuflein zusammen, Jean-Pierre macht große Augen und ich lasse meine Schmetterlingshaarspange auf- und wieder zuschnappen.
Kaspar kennt anscheinend überhaupt keine Bücher! Das finde ich ganz schön traurig. Deswegen war er also so erpicht darauf, dass wir unbedingt seinen Schnecken-Onkel im Unterricht vorstellen.
„Ach so", sagt Alina nach einer gefühlten Ewigkeit. „Ich hab mich immer schon gewundert, wieso du gar kein Bücherregal in deinem Zimmer hast."
„Muss man das denn?" Kaspar sieht jetzt gar nicht mehr wie der harmlose Mr Rülps aus, sondern wie ein Terrier, der einem gleich ganz fies in die Wade beißt.
„Weißt du was, Kaspar?", sage ich, bevor die Stimmung noch komplett kippt. „Ich leihe dir *Pippi Langstrumpf* gerne mal aus."

Jean-Pierre schnippt mit dem Finger. „Und ich dir *Fifi Brindacier* auf Französisch!“
„Und ich dir ein paar Liebesbücher“, fügt Alina hinzu.
„Ja, mal sehen“, brummt Kaspar, aber ich glaube, er ist nicht besonders heiß darauf, Alinas Liebesbücher zu lesen. Und schon gar nicht *Pippi Langstrumpf* auf Französisch. „Also, von mir aus können wir diese Astrid Lindgren nehmen. Findet man denn was über die im Internet?“
„Naturellement!“, sagt Jean-Pierre. „Und bestimmt mehr als über Deribert Hinkelstein.“
„Heribert Dinkelstein!“, protestiert Kaspar.
Wir lachen und auch Kaspar, der Junge, der abgesehen von dem Gruselbuch in der Schule und dem Schneckenbuch seines Onkels noch nie ein richtiges Buch gelesen hat, ist wieder ein kleines bisschen versöhnt.

Es klingelt Sturm.
„Macht mal jemand auf?“, rufe ich, weil ich gerade an einer kniffeligen Matheaufgabe sitze.
In der nächsten Sekunde fällt mir ein, dass gar keiner aufmachen kann. Weil nämlich keiner zu Hause ist. Papi hat noch Schule, Mami ist mit Josefinchen beim Babyschwimmen, Lena hat Blockflötenunterricht und

Jean-Pierre ist mit Lukas zum Handballtraining abgezwitschert. (Wahrscheinlich ist er nicht nur ein Ballett-, sondern auch noch ein Handballwunder.)
Wieder klingelt es, dann bollert die Klingel-Person zu allem Überfluss gegen die Tür.
„Ja, ich komm ja schon!“, rufe ich und spurte zur Tür.
Ich gucke durch den Spion: Jette. Jette mit totalen Durcheinander-Haaren und irrem Blick.
Ich reiße die Tür auf.
„Miss Butterfly!“, keucht sie und drängt sich an mir vorbei.
In meinem Zimmer lässt sie sich auf mein Bett fallen und strampelt erst mal eine Runde mit den Beinen in der Luft. So wie Josefinchen. Obwohl das bei meiner kleinen Babyschwester irgendwie graziöser aussieht.
Als sie fertig gestrampelt hat, richtet sie sich auf und fragt: „Ist Jean-Pierre da?“
„Nee, der ist …“
„Umso besser“, fällt sie mir ins Wort.
„Wieso umso besser?
„Weil ich dich was fragen wollte.“
„Und was?“
Jette streicht ihre wirre Haarmähne glatt, dann ruckelt sie ihre Brille zurecht. „Frage eins: Wieso seid ihr bei der Gruppenarbeit abgehauen?“
Mist. Die Frage musste ja kommen.
„Uns ist nichts eingefallen und Jean-Pierre hat ge-

meint, dass wir im Eiscafé vielleicht besser nachdenken können."
„Ihr wart heimlich im Eiscafé?" Jette verdreht die Augen auf so gruselige Weise, dass nur noch das Weiße zu sehen ist. „Das ist verboten!"
„Na und?" Seit wann macht Jette nur Dinge, die erlaubt sind?
„Und wenn dein Papi davon Wind kriegt?"
„Wird er schon nicht. Es sei denn, du petzt …"
Jette schüttelt den Kopf. Natürlich tut sie so was nicht. Sie ist ja auch meine beste Freundin.
„Und Frage zwei?", hake ich nach.
„Okay, Frage zwei", näselt sie, fragt dann aber nichts.
„JETTE!"
Sie drückt und quetscht ihren roten Glasring, als wolle sie ihn kaputt machen. „Was ist denn nun mit dir und Jean-Pierre?", sprudelt es endlich aus ihr hervor. „Bist du in ihn verliebt? Hast du Schmetterlinge im Bauch? Kitzeln kleine Fischchen deine Füße? Kuschelt ihr nachts und haltet Händchen? Oder seid ihr sogar schon ein echtes Knutschpärchen?"
Uff. Jette will es aber ganz genau wissen.
„Das waren ja schon fünf Fragen!"
„Na und?" Jettes Augen sehen hinter den Brillengläsern riesengroß aus.
„Wie waren jetzt noch mal die Fragen?", frage ich, obwohl sich mir jede einzelne Silbe ins Hirn gebrannt

hat. In Wirklichkeit will ich Zeit schinden. Weil ich nämlich nicht weiß, was ich antworten soll. Wenn ich Jette erkläre, dass ich Schmetterlinge im Bauch habe, würde sie bohren und bohren und wissen wollen, wann ich denn nun endlich mit Jean-Pierre zusammenkomme. Also so richtig, mit allem Pipapo. Wenn ich aber sage, dass ich nicht in ihn verknallt bin, entspricht das auch nicht ganz der Wahrheit. Denn die ist viel komplizierter und Jette würde mich sowieso nicht verstehen. Ihrer Schwarz-Weiß-Logik nach muss man ein Knutschpärchen werden, wenn man sich mag. Und wenn man sich nicht mag, wird man eben keins. Etwas dazwischen gibt es nicht. Ich plinkere Jean-Pierre zwar gerne an (von mir aus auch ein bisschen verknallt), aber bei mir herrscht kein echter Liebesalarm à la Jette. Ich will ihn nicht anfassen und auch nicht mit Haut und Haaren fressen. Ich mag ihn einfach nur so. Als süßen Zahnspangenfranzosen und als echten Herzensfreund.
„Okay, dann noch mal für die ganz Doofen." Jette schleudert ihre blonden Glanzhaare über die Schultern. „Willst du Jean-Pierre küssen?"
„Nein."
„Echt nicht?" Meine Freundin sieht mich so überrascht an, dass ich grinsen muss.
„NEIN!"
„Aber du wolltest doch immer einen Franzosen küs-

sen. Das hast du jedenfalls in dein Tagebuch geschrieben."

„Ja, aber das ist Urzeiten her", erkläre ich.

„Aber Jean-Pierre ist doch so ein supersüßer Franzose!" Jettes Hände rudern durch die Luft. „Oder willst du etwa einen superSUPERsüßen Franzosen zum Küssen?"

„Ich will überhaupt niemanden küssen."

Etwa eine halbe Minute starrt Jette mich nur an, dann kichert sie los.

„Du ekelst dich vor seiner Zahnspange, stimmt's?"

„So ein Quatsch!"

„Dann verstehe ich dich nicht."

Das war zu befürchten. Jette und ich sind die besten, wirklich allerallerbesten Freundinnen, nur beim Thema Liebe ticken wir total unterschiedlich. Bei jedem zweiten männlichen Wesen, das Jette über den Weg läuft, ploppen etwa eine Million Herzchen in ihren Augen auf. Und kleine Fische kitzeln ihre Füße. Bei mir kommen höchstens ein paar Schmetterlinge angeflattert und tummeln sich in meinem Magen. Fische lassen sich überhaupt keine blicken.

„Ich will es eben nicht", erkläre ich.

Jettes Stirn kräuselt sich wie die Oberfläche eines Sees. „Du meinst, solange er hier bei dir wohnt?"

Ich nicke.

„Aber wenn er abreist, schon?"

„Dann natürlich auch nicht! Menno!"
„Ach so, ach so, ach so", brummt Jette. Ihre Augen fangen an zu leuchten. „Habt ihr was Leckeres zu essen da? Ich hab tierischen Hunger."
Komisch, dass sie so abrupt das Thema wechselt.
„Wir haben Käse und Tomaten", sage ich. „Und Vollkornbrot."
„Super! Ich hab einen total tomatigen, käsigen und brotigen Hunger."
Und dann gehen wir in die Küche und schmieren uns ein Brot.

Jean-Pierre!

Es ist Samstag und ich helfe Omi Olga bei ihrem Großeinkauf. Seit sie sich mal den Arm gebrochen hat, kann sie nicht mehr so gut die schweren Einkaufstaschen heben und für einen Hackenporsche, also einen Trolley, fühlt sie sich noch zu jung. Sonst erledigt ihr Freund Diego das für sie, doch der fährt heute Taxi.

„Omi, nicht so viele Süßigkeiten!", ermahne ich sie. Als wäre ich die Omi und sie die Enkelin!

Aber Omi Olga hat ihre Ohren auf Durchzug gestellt und verstaut immer mehr Naschkram in dem Wagen.

„Ich muss deinem Franzosen doch was anbieten können, falls ihr mal bei mir vorbeischaut." Omi Olga, die heute wieder wie ein Kanarienvogel im Farbvollrausch aussieht, guckt mich zerknirscht an.

„Jean-Pierre ist nicht *mein* Franzose. Und er ist auch kein Süßigkeiten-Fressomat."

Omi Olga lacht. „Aber ich vielleicht."

Allerdings! Meine Omi ist etwas mopsig und will ständig abnehmen. Meistens läuft das dann so, dass sie erst ihr Diätgericht isst und kurz darauf die Schokoriegel, die sie in irgendwelchen Geheimfächern in ihrer Wohnung hortet, hinterhermampft.
„Wo steckt er eigentlich? Ist er wieder am Lernen?"
Ich nicke. Jedenfalls saß Jean-Pierre vorhin in ein Buch vertieft an Lukas' Schreibtisch. Um ihn nicht zu stören, bin ich einfach, ohne Tschüss zu sagen, aus der Wohnung gegangen. Später wollen wir sowieso noch was mit Jette, vielleicht auch mit Alina, Mr Rülps und Leonie, unternehmen.
„Armer Kerl! Der soll nicht immer nur über seinen Büchern hocken, sondern auch was vom Leben hier in Deutschland mitkriegen."
Ich seufze. Da bin ich ganz ihrer Meinung. Nicht mal meine kleine Schwester und Streber-Christi lernen so viel!
Omi Olga rafft noch eine Familienpackung Schokoriegel an sich, dann schiebt sie den Wagen in Zeitlupe am Süßigkeitenregal vorbei. Es könnten ja irgendwelche neuen Leckereien auf den Markt gekommen sein, die bisher noch keine Bekanntschaft mit ihrem Gaumen gemacht haben.
„Hat er denn noch mal mit seinen Eltern geredet? Ich meine, wegen des Internats?"
Ich zucke mit den Schultern. Die ganze Woche über

war so viel los, dass ich ihn gar nicht mehr danach gefragt habe. Ob er vielleicht darauf gewartet hat und mich deswegen jetzt ein bisschen weniger mag?
Omi Olga steuert in einer scharfen Linkskurve die Kasse an; ihr knallgelbes Gewand flattert.
„Ich würde es niemals zulassen, dass dich deine Eltern in ein Internat abschieben. Das wäre ein Grund, mich richtig mit ihnen anzulegen."
„Echt, Omi?"
„Natürlich, mein Schmetterling! Ich finde es falsch, ein Kind gegen seinen Willen in eine andere Schule zu stecken. Da hat es doch erst mal gar keine Freunde. Freunde sind so wichtig!"
Wie recht Omi hat. Ein Leben ohne Jette, Alina und Leonie kann ich mir kaum vorstellen. Eine Horrorvorstellung, dass eine von uns mal auf eine andere Schule gehen oder sogar wegziehen müsste.
Während wir in der Schlange warten, kuschele ich mich an Omi Olgas pummeligen Arm. Ich bin so froh, dass ich sie habe.
Omi lächelt mich an und tätschelt mir die Wange. „Soll ich vielleicht mal mit Jean-Pierres Eltern …?"
Ich zucke zurück.
„Untersteh dich, Omi!" Wie peinlich, wenn sie sich da einmischt! „Außerdem sind sie geschieden."
„Na und? Deswegen können sie doch wohl noch sprechen!"

Wir bezahlen, dann schleppe ich die Einkäufe zu Omis Auto. Seit kurzem fährt sie den ausrangierten Smart von ihrem Freund Diego. Omi nimmt den Wagen aber nur zum Einkaufen. Richtig in die Stadt traut sie sich nicht damit.

„Wollen wir noch in ein Café gehen?“, fragt sie. „Oder möchtest du gleich zu deinem Franzosen zurück?“

Eigentlich will ich jetzt/sofort/auf der Stelle zu *meinem* Franzosen zurück – vielleicht wartet er ja schon sehnsüchtig auf mich –, andererseits möchte ich Omi nicht enttäuschen.

Die mustert mich schräg von der Seite und sagt schmunzelnd: „Na, komm. Lassen wir das Kaffeetrinken besser ausfallen.“

„Aber deine Einkäufe …“

„Kein Problem, mein Schmetterling. Der junge Mann aus dem ersten Stock hilft mir bestimmt.“ Omi grinst verschmitzt. „Jean-Pierre ist bald wieder weg. Dann können wir immer noch bis zum ersten Koffeinrausch Kaffee trinken gehen.“

„Danke, Omi“, sage ich und gebe ihr einen Schmatzer auf die weiche Wange.

Eine Viertelstunde später biegt der Wagen in unsere Straße ein und Omi Olga bremst vor unserem gelb gestrichenen Haus.

„Kommst du noch mit rein?“, frage ich.

Omi schüttelt den Kopf. „Ich brate mir jetzt zu Hause

zwei Spiegeleier, dann lege ich mich ein bisschen aufs Sofa und höre Musik."
„Gute Idee", will ich sagen, aber die Wörter bleiben auf halber Strecke in meinem Hals stecken. Gerade ist nämlich unsere Haustür aufgegangen und Jette spaziert heraus.
Was macht Jette jetzt bei uns? Wir waren doch für später verabredet. Außerdem geht sie samstags immer mit ihren Eltern nobel essen. Kleine Vögel in einer schaumigen Soße oder so.
Bloß eine Minisekunde später taucht ein dunkler Haarschopf hinter ihr auf. Mein Bruder? Aber nein, es ist Jean-Pierre.
HALLO?
Jette tänzelt ballettös die Stufen hinab, Jean-Pierre tänzelt genauso ballettös hinterher und dann – ich stelle meine Augen auf megascharf –, dann hakt sich Jette einfach bei ihm unter.
ICH FASSE ES NICHT!
„Guck mal, Jette und Jean-Pierre", sagt Omi noch, da reiße ich schon die Tür auf, springe aus dem Wagen und stampfe auf die beiden zu.
Jette bleibt stehen. Sie ist plötzlich weiß wie Mozzarella.
„Äh, hi", flötet sie megakünstlich.
„Äh, hi", flöte ich genauso megakünstlich.
„*Salut*, Mia!", sagt Jean-Pierre ganz normal.

„Wo wollt ihr denn hin?“, frage ich. Wahrscheinlich klinge ich wie ein Blecheimer.
Während Jettes Mozzarellafarbe ins Schweinchenrosa wechselt, sagt Jean-Pierre: „Wieso, ins Kino. Ich denke, du kommst auch hin.“
Ich gucke Jette an. Jette guckt mich an. Jean-Pierre guckt uns beide an.
Und dann flitze ich einfach los. Rein in unsere Wohnung. Hoffentlich kommen mir jetzt nicht Mami oder Papi in die Quere! Oder Lena! Oder sonst wer! Ich will mich nämlich einfach nur auf mein Bett werfen und heulen.

Liebes Schmetterlingstagebuch,

dies ist ein Kummereintrag, ein ganz, ganz schlimmer Kummereintrag!
Vor genau fünf Minuten ist meine Welt untergegangen. Hier vor unserer Haustür.
Und zwar wollte Jette ... Sie wollte tatsächlich HEIMLICH und HINTER MEINEM RÜCKEN mit Jean-Pierre ins Kino gehen!
Das ist so mega-giga-irre fies von ihr!
Mist noch mal, jetzt muss ich heulen.
Ich klapp dich jetzt zu, liebes T...

Es klopft. Hastig verstecke ich mein Tagebuch unter meinen Schulheften.
„Mia?“
Jette. Auch das noch.
Die Tür geht auf, aber ich drehe mich nicht mal um.
„Tschüss, Jette!“, rufe ich. Zum Glück wackelt meine Stimme nicht.
„Wieso denn tschüss?“
„Ich hab zu tun.“
„Ähm, ach so, aha.“
Ich rühre mich nicht von der Stelle.
„Mia?“
Nein, ich sage jetzt nichts. Ich spiele einfach schockgefrostetes Fischstäbchen. Gerade mal zwei Sekunden halte ich das aus, dann drehe ich mich um.
„Hau ab!“
Jette weicht einen Schritt zurück und sagt mit megadünner Stimme: „Guhuuut, dann gehe ich jetzt.“
„Super Idee. Tschühüüüs!“
„Tschühüüüs.“
Schritte trappeln, ich höre eine Tür klappen. Kurz darauf pocht es wieder und ich fahre herum.
„Jette, du ...“ Die Wörter bleiben mir im Hals stecken. Denn nicht Jette steht auf der Schwelle, sondern Jean-Pierre.
„Störe ich?“, fragt er.
Ich schüttele den Kopf.

„Äh, was ist denn los?“
„Nichts.“ Ich versuche zu lächeln, aber meine Gesichtsmuskeln fühlen sich wie eingefroren an.
Jean-Pierre räuspert sich und sagt: „Jette hat gemeint, du würdest ins Kino nachkommen.“
„Hat sie?“
„Ja, wenn du mit dem Einkauf fertig bist.“
Der Kloß in meinem Hals wird immer größer und in meinen Ohren rauscht ein Orkan. Jette hat Jean-Pierre angelogen und mich ... mich hat sie ganz gemein ausgetrickst! Mich, ihre allerbeste Freundin! Wie kann sie mir das nur antun! Und wie soll ich mich jetzt Jean-Pierre gegenüber verhalten? Eigentlich habe mich doch sowieso schon verraten, indem ich wie eine beleidigte Leberwurst abgerauscht bin. Natürlich weiß er jetzt, dass ich eifersüchtig war.
„Jean-Pierre, kommst du?“, ertönt in diesem Moment Lukas’ Stimme. Den schickt ja wohl der Himmel.
Jean-Pierre kratzt sich am Kinn.
„Ich geh dann mal, okay?“
Und ob das okay ist! Das ist das Beste, was mir gerade passieren kann.
Im nächsten Moment zieht er schon die Tür hinter sich zu und ich atme auf. Mein großer Bruder hat mich soeben aus einer der peinlichsten Situationen meines Lebens gerettet. Später wird die Sache zwar immer noch peinlich sein, aber vielleicht ist mir bis dahin

eine Ausrede eingefallen, mit der ich Jean-Pierre abspeisen kann. Falls er mich überhaupt noch mal auf Jette anspricht.
Ich ziehe mein Schmetterlingstagebuch unter meinen Heften hervor und schlage es auf.

Hallo du, da bin ich wieder. Eben war J-P bei mir im Zimmer und ich …
Ach, Mist, ich will das ganze mistige Kuddelmuddel gar nicht aufschreiben. Nur so viel: Das erste Mal, seit ich mit Jette befreundet bin, habe ich sie nicht in mein Zimmer gelassen. Das ist so furchtbar traurig, dass ich … Nein, ich heule jetzt nicht wieder los und verschmiere die ganze Tinte. Omi Olga sagt immer, man kann ruhig auf die Nase fallen, aber dann soll man aufstehen, die Krone richten und weitergehen.

Überlegungen zu einem Jean-Pierre-Jette-wie-geht-es-jetzt-bloß-weiter-Schlachtplan:
1. ????
2. Keine Ahnung …
3. Mir fällt immer noch nichts ein.

Ich glaub, ich ruf mal Alina an. Die kennt sich ja in Liebes- und Freundschaftsdingen aus.

Zwei Minuten später habe ich Alina an der Strippe. Zum Glück bin ich Jean-Pierre nicht auf dem Flur begegnet, als ich das Telefon geholt habe. Haspelnd bringe ich sie auf den neuesten Stand.

„Schöner Mist", sagt sie. „Ich wäre auch ziemlich sauer, wenn du hinter meinem Rücken mit Kaspar ins Kino gehen würdest."

Mein Reden! Das war einfach nur fies!

„Andererseits ..."

„Was andererseits?"

„Andererseits bist du ja nicht richtig mit Jean-Pierre zusammen, also so wie ich mit Kaspar oder so wie Christi mit deinem Bruder."

„Weiß ich doch", brumme ich.

„Und er gehört dir auch nicht", kommt Alina zum bitteren Ende.

Da hat meine Freundin natürlich Recht. Jean-Pierre ist nicht mein Eigentum wie zum Beispiel meine Schmetterlingssammlung oder meine Lavalampe. Nur hätte Jette es nicht so gemein ausnutzen sollen, dass ich mit Omi Olga einkaufen war. Das ist und bleibt einfach nur megafies.

„Was soll ich denn jetzt tun, Alina? Jean-Pierre denkt doch, ich hab sie nicht mehr alle!"

„Na und? Ist doch egal. Ich würde mich an deiner Stelle ganz normal verhalten."

Ganz normal verhalten, speichere ich in meinem Kopf ab.
„Und nicht von Jette und von der Sache mit dem Kino anfangen."
Nicht von Jette und von der Sache mit dem Kino anfangen, ergänze ich in Gedanken.
„Und Jette? Ich mein, ich kann sie nicht mal aus meinem Leben radieren. Wir gehen zusammen zur Schule!" Meine Stimme wackelt.
„Rede mit ihr! Frag sie, was sie sich dabei gedacht hat. Vielleicht ist ja doch bloß alles ein Missverständnis."
Missverständnis – von wegen!
„Ich will aber nicht mit Jette reden. Sie hat mir so schrecklich wehgetan!"
Alina stöhnt in mein Ohr. Es ist fast schon ein Ächzen.
„Du musst aber. Sie ist deine allerbeste Freundin."
„Du bist doch auch meine allerbeste Freundin."
„Ja, aber Jette ist deine allerALLERbeste Freundin." Alina sagt das ganz ohne Neid. „Du bist sogar schon mit ihr verreist."
Das stimmt. Neben meiner Familie ist Jette tatsächlich der wichtigste Mensch in meinem Leben. Trotzdem kann und will ich sie nicht anrufen. Jedenfalls nicht jetzt. Wo alles noch so frisch ist.
„Das wird schon wieder", tröstet Alina mich ganz lieb.
„Aber ..."

„Ruf sie an!“

Von wegen, denke ich. Wenn überhaupt, dann soll die doofe Kuh mich anrufen!

„Tschüss, Alina“, sage ich leise.

„Tschüss, Mia.“ Sie schickt ein kleines Küsschen durch die Leitung. „Viel Glück!“

Aale-Kuddel und eine Staude Bananen

„Mia, aufstehen!"
Papis Stimme dringt wie von einem fernen Planeten an mein Ohr. Es ist der Planet der Flüsterstimmen, auf dem bunt gescheckte Pferde über eine Mondlandschaft galoppieren …
„Mia, nicht wieder einschlafen! Oder willst du nicht mit auf den Fischmarkt?"
Gerade noch war ich im Reich der Träume und Jette und ich sind auf diesen hübschen Pferden geritten, nun bin ich mit einem Schlag hellwach. Zu dumm, dass mir sofort wieder einfällt, wie verkorkst mein Leben gerade ist. Jette … Die Sache mit dem Kino … Und dass ich es nicht geschafft habe, über meinen Schatten zu springen und meine … äh … Ex-Freundin anzurufen.
Gestern früh habe ich mich noch wie verrückt darauf gefreut, mit Jette und Jean-Pierre auf den Fischmarkt zu gehen, jetzt würde ich am liebsten im Bett bleiben und mir die Decke über den Kopf ziehen. Aber das geht

natürlich nicht. Jean-Pierre ist nämlich ganz wild auf den Ausflug, Lukas ebenfalls und Lena sowieso.

Der Altonaer Fischmarkt findet nur sonntags statt, und zwar so früh am Morgen, dass man sich vorsichtshalber Streichhölzer zwischen die Lider klemmt, damit man nicht wieder einschläft. Am besten geht man gleich hin, wenn er aufmacht. Dann sind auch die Marktschreier noch nicht heiser, die Bananen, Aale und Blumentöpfe in die Menschenmenge werfen und dabei lustige Sprüche machen.

Ich tapse ins Bad, putze mir aber nur husch, husch die Zähne und wasche mir in einer Blitzspritz-Aktion das Gesicht. Erstens ist es viel zu früh, um sich unter die Dusche zu stellen. Zweitens will ich Jean-Pierre und Lukas, die schon angezogen auf dem Flur herumlungern, nicht warten lassen. Drittens drängelt sich auch noch Lena am Waschbecken und macht Schaumfaxen. Kann mir mal jemand erklären, warum die kleine Nervensäge um diese Uhrzeit schon so putzmunter ist?

Frühstück gibt es erst auf dem Fischmarkt, also brechen wir auch schon kurz darauf auf. Mami und Josefinchen müssen leider zu Hause bleiben (das alte Platzproblem im Auto), aber ich glaube, Mami ist das nur ganz recht. So kann sie noch eine Runde schlummern. Und Josefinchen ist sowieso noch zu klein für den Fischmarkt.

„Gut geschlafen?“, raunt Jean-Pierre mir zu, als Papi den Wagen anlässt.
Ich nicke und lächele ihn knapp an. Er lächelt mit blitzenden Vollmilchaugen zurück und für einen Moment möchte ich glauben, dass alles wie immer ist.
Gestern habe ich mir Alinas Ratschlag zu Herzen genommen und so getan, als sei nichts weiter gewesen. Jean-Pierre hat auch so getan, als sei nichts weiter gewesen. Allerdings sind wir sowieso nur bei den Mahlzeiten aufeinandergetroffen. Die übrige Zeit hat Jean-Pierre in Lukas' Zimmer gesessen und für seine Nachprüfungen gebüffelt.
„Mann, ist das früh!“, stöhnt Lukas und gähnt herzhaft.
„Das kannst du wohl laut sagen“, meint Papi. „Ich brauch auf dem Fischmarkt erst mal einen Kaffee, sonst schlafe ich auf der Stelle wieder ein.“
„Und ich brauch was zu essen“, tönt Lukas. „Da gibt's doch diese sauleckeren Fischbrötchen, oder?“
„Ihh!“, kreischt Lena und ich kreische ein stummes *Ihh!* hinterher. Fischbrötchen sind im Prinzip schon *sau*lecker, aber ganz bestimmt nicht um diese Uhrzeit.
„Fischbrötchen?“, krächzt Jean-Pierre neben mir. „*Pardon*, was ist das?“
„Brötchen mit Hering oder Matjes oder anderem Fischzeug drauf“, antwortet Lukas. „Ich mag am liebsten Hering und rohe Zwiebeln.“

Jean-Pierre verzieht das Gesicht. Schon klar. Er kann Zwiebeln ja nicht ausstehen, egal in welcher Form. Und sie in aller Herrgottsfrühe roh zu essen, ist für ihn bestimmt die totale Horrorvorstellung.
Zirka fünfzehn (verpennte) Minuten später sind wir da. Zum Glück ergattern wir in nächster Nähe einen Parkplatz, dann stürzen wir uns ins Getümmel.
Gerade dämmert es und vor der wunderschönen Hafenkulisse schiebt sich halb Hamburg an den Marktständen vorbei. Neben Fisch kann man dort alles Mögliche kaufen: Obst und Gemüse, Zuckerwatte und gebrannte Mandeln, geflochtene Körbe, Krimskrams und exotische Pflanzen, sogar lebendige Kaninchen und Hühner!
Jean-Pierre kommt aus dem Staunen nicht mehr raus. Einen Markt wie diesen kennt er nicht aus Paris. Kleine Glücksbäche rieseln mir den Rücken runter. Ich freue mich so, ihm alles zeigen zu können!
Nur eins tut weh: dass Jette nicht dabei ist. Sie würde jetzt bestimmt ihre Blondpracht hin und her werfen, süße Standverkäufer anhimmeln und mich alle paar Minuten zum Lachen bringen.
Nachdem Papi bei einem Bäcker Rosinenbrötchen für Lena und mich gekauft hat, steuern wir einen Stand mit Fischbrötchen an. Hm! Die sehen ja doch total lecker aus. Auch wenn es noch so megafrüh ist.
„Wer möchte was?“, fragt Papi.

„Darf ich doch eins, Papi?“, frage ich.
„Aber natürlich, Mia.“
Wie Jean-Pierre entscheide ich mich für ein Krabbenbrötchen (von dem Nervensäge Lena natürlich unbedingt mal abbeißen will), Lukas ordert sein heiß geliebtes (und nach rohen Zwiebeln riechendes) Heringsbrötchen, Papi ein Matjesbrötchen. Dazu gibt es für Papi und Jean-Pierre Kaffee, den der Standverkäufer aus einer riesigen Metallkanne zapft.
Dann wird erst mal gegessen. In der kühlen Morgenluft schmeckt das Brötchen megalecker. Wir beobachten die Leute, die sich von Stand zu Stand treiben lassen, sehen Frachter im Hafen vorübertuckern und lauschen den aufgeregten Rufen der Marktschreier. Mit jedem Happen, der in meinem Magen landet, fühle ich mich wohler und für einen kurzen Moment kann ich sogar vergessen, dass ich so schrecklich Jette-los bin.
„Magst du?“ Jean-Pierre steht mit einem Mal briefmarkendicht neben mir und hält mir seinen Kaffeebecher hin. Weil es keinen echten Milchkaffee gab, hat er literweise Dosensahne in dem Gebräu versenkt.
„Äh, ich trink doch gar keinen Kaffee“, sage ich und werde knallrot. Hält er mich jetzt etwa für ein Baby?
„Probier mal! Der ist richtig lecker.“
Und nur, weil Jean-Pierre mich mit seinen Schokoaugen so schmelzend anguckt, Papi gerade nicht hinschaut und auch keine Mecker-Mami in der Nähe ist,

greife ich nach dem Becher und nippe daran. Hm … Es schmeckt ein bisschen seltsam, aber nicht so schlimm, wie ich dachte. Ich nehme einen zweiten Schluck und auch noch einen dritten. Jean-Pierre grinst dabei die ganze Zeit sein Zahnspangengrinsen und auf einmal fühlt es sich so an, als gäbe es nur uns beide auf der Welt. Das Gebrabbel der Fischmarktbesucher, Lukas' Geschmatze, das Tuten eines Nebelhorns – alles klingt ganz weit weg. Als würden Jean-Pierre und ich unter einer Käseglocke stehen und die wirkliche Welt würde sich irgendwo dahinter befinden.

„Ihh, Mia trinkt Kaffee!“, dringt Lenas Stimme in unsere Käseglocken-Welt.

Ich zucke so heftig zusammen, dass etwas Kaffee aus dem Becher schwappt.

Wie ertappt gucke ich zu Papi rüber, doch der fährt sich bloß schmunzelnd über seinen Bart und sagt: „Na und? Lass Mia doch mal probieren.“

„Ist das denn nicht gefährlich?“, will Lena wissen. Sie zieht ein Gesicht, als hätte ich Schlangengift in Bakteriensud mit einem Sahnehäubchen aus Taubenschiss getrunken.

„Gefährlich wäre es vielleicht, wenn sie eine ganze Kanne davon trinkt“, meint Papi. „So ein paar Schlucke werden ihr schon nicht schaden.“

„Ich mag das Zeug sowieso nicht“, sage ich und drücke Jean-Pierre den Becher in die Hand. Die rosarot schil-

lernde Seifenblase hat *puff* gemacht; der magische Moment zwischen Jean-Pierre und mir ist vorbei.
„Ich geh schon mal zum Fischstand rüber“, sage ich und mache mich auf die Socken.
Ein paar Nachtschwärmer, die wohl bis zum Morgengrauen in einem Club getanzt haben, kommen mir entgegengetorkelt und ich rette mich an den Fischstand.
„Na, min Deern, hier ist bannig was los, nech?“, ruft mir der Fischverkäufer in breitestem Norddeutsch zu. „Ich bin Aale-Kuddel. Und du?“
„Mia“, sage ich und wundere mich über meine mickrige Stimme. Jedenfalls klingt sie nicht so, als hätte ich gerade ein Krabbenbrötchen plus ein halbes Rosinenbrötchen gegessen und ein paar Schlucke Kaffee getankt. Eher saft- und kraftlos wie nach einer Doppelstunde bei der Triefnase.
„Mia!“, ruft er in die Menge. „Was für ’ne soite Deern!“ Er lacht scheppernd. „Und Mias Lieblingsessen ist bestimmt Räucheraal mit Schnippelbohnensalat, nech?“
„Äh, nee, Pellkartoffeln mit Quark und Pizza“, stottere ich. Keine Ahnung, warum ich diesem völlig fremden Aale-Kuddel meine Lieblingsgerichte verrate.
„Und magst du auch Thunfischpizza?“
Ich nicke. Eigentlich mag ich jede Pizza.
„Wart mal!“ Der Fischverkäufer grabbelt in den Auslagen herum, zieht ein dunkelrotes Stück Fisch her-

vor und lässt es hin und her baumeln. „Ist das nich lecker?“
Ich zucke mit den Schultern. Ich kenne nur Thunfisch aus der Dose, der hier sieht irgendwie anders aus. Fast wie Fleisch.
Doch Aale-Kuddel packt ratzfatz den Fisch ein und reicht mir das Paket. „Für dich, min Deern. Lass es dir denn man schmecken.“
Träume ich oder hat der Mann mir gerade Fisch geschenkt?
Die Leute um uns herum klatschen Beifall und ich möchte einfach nur im Erdboden versinken. Ich stottere ein saft- und kraftloses *Danke*, dann tauche ich auf schnellstem Weg wieder in der Menge ab.
„Mia?“
Ich fahre herum. Jean-Pierre steht vor mir und hält mir ein Bündel Bananen wie einen Blumenstrauß hin.
„Äh“, sage ich.
„Für dich“, sagt er.
„Äh, danke“, sage ich.
„Ja, bitte“, sagt er.
Wenn es einen Preis für die intelligenteste Unterhaltung im Universum gäbe, würden wir damit garantiert auf dem allerletzten Platz landen.
„Aber wieso ... äh ... ich meine“, führe ich unser blitzgescheites Gespräch fort.
„Als Entschuldigung.“ Die Bananen baumeln immer

noch vor meinem Gesicht. „Wegen der Sache mit dem Kino. Ich hätte zu Hause auf dich warten sollen."

Jean-Pierre schenkt mir leckeres Obst, um sich bei mir zu entschuldigen? Das ist ja süß! Ich nehme die Bananen-Blumen an mich und schnuppere daran.

Äh, na ja, riecht ziemlich nach Banane.

„Kommt Jette eigentlich gleich noch nach?"

„Äh, nö, weiß nicht", sage ich. Wir können uns von mir aus über alles unterhalten – über Fischzucht, Schiffbau auf den Hamburger Werften, Klobürsten –, aber bitte nicht über Jette!

Zum Glück kommen Papi, Lukas und Lena angetrabt. Lukas hat noch Zwiebelreste im Mundwinkel.

„Und? Wollen wir weiter?", fragt Papi.

Ich nicke. Nichts lieber als das. Hauptsache, ich muss nicht länger mit Jean-Pierre über Jette reden.

Smialeidmia

Kurz vor zehn biegt unser mittelblaues Auto wieder in unsere Straße ein. Wir sitzen müde, aufgekratzt und megahappy drin. Weil es richtig toll auf dem Fischmarkt war. Und vor allem lustig mit all den Marktschreiern, von denen einer Papi am Ende eine Yuccapalme aufgedrängt hat. Dabei weiß ich, dass Mami Zimmerpflanzen auf den Tod nicht ausstehen kann. Bei uns zu Hause ist es sowieso schon so eng. Wo soll da noch eine Palme hin?

„Guck mal, da sitzt ja Jette!", ruft Jean-Pierre und tickt wie wild geworden gegen die Fensterscheibe.

Jette? Wer war noch mal gleich Jette? Ach ja, mit dem blonden Mädchen, das da mit einer Tüte Lakritzschnecken wedelt, war ich ja mal befreundet. Ich gucke etwa nur eine Millisekunde hin, trotzdem wird mir heiß und kalt und mein Herz fährt wilde Loopings.

„Ach, wollte Jette auch mitkommen?", erkundigt sich Papi.

„Ja, aber sie hat sich mit Mia gezofft", petzt Lena. „Wegen Liebeskram."

„Du spinnst ja wohl!" Am liebsten würde ich Lena ein paar kleben, aber ich tue nur so, als ob.

Papi flutscht in eine Parklücke, dann steigen wir aus.

„Huhu, hi, hallihallo!", flötet Jette total ballaballa, als ich, den Thunfisch und die Bananen unter den Arm geklemmt, unser Haus ansteuere.

Ich sage gar nichts.

„*Bonjour*, Jette!", röhrt Jean-Pierre eine Oktave tiefer als sonst. Ups, Stimmbruch-Alarm? „Wieso bist du denn nicht ...?"

„Jette, komm mal." Ich drücke Jean-Pierre das Thunfischpaket in die Hand, dann zerre ich sie an ihrem rot-weiß gepunkteten Schal die Stufen runter. Bloß weg von hier, wo alle ihre Megalauscher aufstellen.

„Wo wollt ihr denn hin?", erkundigt sich Papi.

„Bananen essen", erkläre ich, während ich Jette wie einen Gaul über die Straße treibe.

„Kloppt euch bloß nicht!", ruft Lena uns noch nach, dann biegen wir auch schon um die Ecke.

Es fühlt sich so komisch an, neben meiner ehemals besten Freundin herzulaufen, dass ich vor mich hin schweige. Jette schweigt ebenfalls vor sich hin und knistert mit ihrer Lakritzschnecken-Tüte.

Erst als wir in den Park am Weiher eintauchen, reißt

sie die Tüte auf und gibt mir zwei Schnecken ab. Ich biete ihr im Gegenzug eine Banane an.
„So, und jetzt?“, fragt sie kauend.
„Jetzt unterhalten wir uns mal“, erwidere ich und beiße von Lakritzschnecke Nummer eins ab. „Du bist nämlich echt die bescheuertste Kuh unter der Sonne.“
„Finde ich auch.“
„Gut, dass du das auch findest.“
„Find ich auch gut, dass ich das finde.“
Wir glucksen los, aber es ist ein ziemlich verkrampftes Hoffentlich-kriegen-wir-noch-mal-die-Kurve-Glucksen.
Ein paar Meter weiter steht eine Bank und Jette lässt sich ächzend drauffallen. Ein Vogel flattert erschreckt im Gebüsch auf, als ich mich neben sie setze.
„Jette, jetzt mal im Ernst …“
„Smialeidmia“, nuschelt sie.
„Wie bitte?“
„Es tut mir leid, Mia!“
Okay. Das war immerhin schon mal ein Anfang. „Und was genau?“, hake ich nach und verputze Lakritzschnecke Nummer zwei.
Jette sieht mich zerknirscht an. „Also, das war so …“
Sie dreht und quetscht ihren roten Glasring.
Bevor sie noch in eine totale Tiefkühlfischstäbchen-Starre fällt, erkläre ich: „Du hast bei mir angerufen und Lena oder Lukas oder keine-Ahnung-wer hat dir

gesagt, dass ich mit Omi Olga beim Einkaufen bin, stimmt's?"
Jette erwidert nichts.
„Und dann hast dir gedacht: Super, das nutz ich doch mal aus und geh mit Jean-Pierre ins Kino, weil Mia es ja bestimmt viel toller findet, Omi Olgas Einkäufe zu schleppen. Das war doch so, oder?"
Ich gucke wieder zu Jette rüber, die jetzt ihren blonden Haarteppich hin und her schleudert.
„Doch, so war das."
„Gar nicht wahr!", protestiert sie.
„Dann erklär mir endlich, wie es war! Damit ich es auch verstehe!" Langsam verliere ich echt die Geduld.
Jette ruckelt ihre Brille zurecht und murmelt: „Ich hab bei dir geklingelt, weil ich was mit dir und Jean-Pierre unternehmen wollte."
„Warum hast du denn nicht vorher angerufen? Oder eine SMS geschickt? Wie sonst auch?" Ich lange in Jettes Tüte und fische noch eine Lakritzschnecke raus. Die beruhigt hoffentlich meine Nerven.
„Weil ich mit meiner Mutter in dem Weinladen bei dir an der Ecke war. Deswegen."
„Okay, und dann?"
„Dann hat Jean-Pierre aufgemacht und gesagt, dass du nicht da bist. Und dann hat mich ... hat mich ... hat mich ..."

O weh. Wenn Jette alles dreimal wiederholt, wird es meistens ganz besonders schlimm.

Jettes himmelblaue Augen wirken hinter den Brillengläsern riesengroß, als sie hervorstößt: „Dann hat mich eine Liebeswelle überrollt!“

Ach, du dicker Schmetterling! Jette und ihre Liebesanwandlungen. Da ist kein Junge vor ihr sicher und meistens redet sie ganz schlimm in Gedichtsprache daher.

„Und wegen dieser Liebeswelle wolltest du so schnell wie möglich mit Jean-Pierre ins Kino?“

„Na ja … schon. Also sozusagen.“

Jette nimmt sich gleich zwei Lakritzschnecken auf einmal und beißt mal von der einen, mal von der anderen ab. „Ich weiß, das war doof von mir, Miss Butterfly.“

„Ja, megadoof. Und ziemlich gemein.“

„Aber du hast doch gesagt, dass du den süßen Zahnspangenfranzosen nicht küssen willst und auch nicht in ihn verliebt bist. Da hab ich eben gedacht …“ Sie streicht nachdenklich über ihren Glasring.

„Was hast du gedacht?“

Ihr Zeigefinger fährt jetzt wilde Kurven.

„Dass du bei ihm freie Bahn hast?“, forsche ich nach.

„Na ja, äh … nee … ja.“

Ein einfaches *Ja* hätte auch gereicht.

„Ich finde nur“, spricht Jette mit Wackelstimme weiter. „Also, Jean-Pierre ist schon süß. Und das mit der Liebeswelle fing ja auch nicht erst gestern an.“

Ein Rums geht durch meinen Magen. „Sag bloß, du warst schon damals in Berlin in ihn verknallt?"
Jette schüttelt den Kopf, dann gesteht sie stockend, dass die Ballettstunde schuld war. „Ich fand so toll, wie er getanzt hat, und da ... da sind eben meine Gefühle durcheinandergeraten."
„Das ist trotzdem kein Grund, ihn mir einfach wegzuschnappen!", kläffe ich. „Und dann noch hinter meinem Rücken!"
Jette sieht mich mit weit aufgerissenen Augen an. „Wieso denn wegschnappen? Wie kann ich dir denn einen wegschnappen, den du gar nicht willst?"
Ups, jetzt wird's unangenehm. Besser, ich sage nichts mehr.
„MIA?"
„Was?"
„Bist du etwa doch in Jean-Pierre verschossen?"
Und bloß, weil ich aus der Sache sowieso nicht mehr rauskomme, gestehe ich Jette in einem kuddelmuddeligen Heul- und Kicheranfall, dass ich Jean-Pierre noch genauso gern wie in Berlin habe. Dass mal mehr, mal weniger Schmetterlinge in meinem Bauch herumflattern, wenn ich bloß an ihn denke, dass ich ihn aber trotzdem nicht küssen will.
Jette nimmt ihre Brille ab und haucht sie an.
„Und warum hast du mir das nicht gleich gesagt?"
„Weil ... Du verstehst es einfach nicht!"

„Hm“, brummt Jette.
„Weil es in deiner Welt nur Knutschpärchen oder eben keine Knutschpärchen gibt. Stimmt doch, oder?“
„Na ja“, brummt Jette wieder. „Trotzdem hättest du ja versuchen können, es mir zu erklären.“
„Hm, ja vielleicht.“
Jette macht ein Mr-Rülps-artiges Bäuerchen. „Da haben wir wohl beide ganz schön Mist gebaut.“
„Allerdings“, lenke ich ein. Wobei ich es immer noch viel schlimmer finde, etwas hinterrücks zu tun, als etwas zu verschweigen, was man sowieso nicht richtig erklären kann.
Als ich Jette das so sage, verreibt sie erst Lipgloss auf ihren Lippen, dann nickt sie. „Und … und willst du mich jetzt etwa entfreunden?“, fragt sie mit zerknirschter Miene.
Natürlich will ich das nicht! Ein Leben ohne Jette würde ich doch gar nicht aushalten! Trotzdem bin ich schon noch etwas sauer. Die Kino-Aktion war wirklich nicht besonders feinfühlig von ihr.
Bevor ich etwas antworten kann, flitzt in etwa zwei Metern Entfernung ein Eichhörnchen auf dem Sandweg vorbei und bleibt auf unserer Höhe stehen. Mit seinen winzigen Pfoten hält es eine Eichel fest.
„Guck mal, wie süß!“, flüstert Jette.
„Nicht bewegen!“
Das kleine Nagetier ist richtig mega-giga-irre putzig!

Und ich will nicht, dass es flieht, wenn es uns beiden Riesenmonster auf der Parkbank erblickt.
Doch da geschieht ein kleines Wunder. Das Eichhörnchen hüpft hin und her, dann springt es auf die Armlehne der Parkbank und schaut uns aus seinen wunderschönen braunen Augen an. Es scheint überhaupt keine Angst vor uns zu haben.
„Hallo du“, begrüße ich es leise.
„Ist das süß, ist das süß, ist das süß!“, murmelt Jette wie weggetreten. „Komisch, dass es gar nicht wegläuft.“
„Vielleicht will es uns ja was sagen.“
„Und was?“
„Dass … dass wir uns wieder vertragen sollen?“
Jette guckt zu mir rüber, wobei aus Versehen ihre Haare über ihre Schultern gleiten. Das Eichhörnchen lässt erschrocken die Eichel fallen und verschwindet blitzschnell im Gebüsch.
Doch Jette lächelt bloß selig. „Denkst du auch das, was ich denke?“
„Was denkst du denn?“
„Dass das vielleicht ein Zeichen war?“
Ich bin mir da zwar nicht so sicher, nicke aber. Vielleicht hat Jette ja tatsächlich Recht und das Eichhörnchen wollte uns etwas sagen.
Sie streckt ihre Hand aus und fährt mir kitzelig über die Finger.

„Miss Butterfly, es tut mir so leid. Ich wünschte, ich könnte die blöde Sache mit dem Kino wieder rückgängig machen. Ich will dir Jean-Pierre nicht wegschnappen. Ganz ehrlich!“

„Und mir tut es leid, dass ich dir nicht gesagt habe, wie sehr ich ihn mag.“

„Dann … dann … dann …“ Jette sieht mich aus ihren himmelblauen Augen an. „Dann ist jetzt alles wieder gut?“

Ich nicke. Alles ist wieder gut. Und das ist das Allerschönste, was mir an diesem kuddelmuddeligen Fischmarkt-Tag passieren kann.

Eine Liebeswelle und ein Stapel Bücher

Liebes Schmetterlingstagebuch,

ich schaffe es gar nicht mehr, alles aufzuschreiben, was so passiert. Jetzt aber. Jean-Pierre sitzt nämlich gerade in Lukas' Zimmer und lernt mal wieder.
Das Allerwichtigste zuerst:
Jette und ich haben uns wieder versöhnt. Zum Glück! Und ich bin mir auch ziemlich sicher, dass sie mir nie, nie wieder den s. Zahnspangenfranzosen auszuspannen versucht. Wir haben uns nämlich gegenseitig versprochen, uns immer alles offen zu sagen. Damit es nicht wieder zu so blöden Missverständnissen kommt.
Nun das Zweitwichtigste:
Jean-Pierre. Er hat nicht weiter gebohrt und auch nicht gefragt, was Lena mit LIEBESKRAM meinte. Uff! Eigentlich hat er gar nichts dazu gesagt und sich ganz normal benommen. Entweder denkt er sich a) einfach seinen Teil und ist höflich genug, um mich

und Jette nicht darauf anzusprechen, oder er ist b) so wie die meisten Jungs und hat das ganze Liebesalarmkuddelmuddel gar nicht gerafft. Mir wäre ja b) lieber. Jean-Pierre soll bitte nicht denken, dass Jette und ich beide in ihn verschossen waren/sind.

Das Drittwichtigste:

Es fühlt sich nicht mehr ganz so krampfig an, Papi als Lehrer zu haben. Keine Ahnung, ob es eines Tages völlig normal sein wird. Aber wahrscheinlich ist Frau Müller-Stegemann bis dahin längst aus der Babypause zurück oder ich habe schon meinen Schulabschluss in der Tasche.

Das Viertwichtigste:

Alina, Mr Rülps, Jean-Pierre und ich haben uns gestern ganz offiziell bei mir zur Arbeitsgruppe getroffen und unser Referat über die Kinderbuchautorin Astrid Lindgren ausgearbeitet. Das hat großen Spaß gemacht! Ehrlich gesagt war ich ziemlich froh, dass die anderen Mädchen aus meiner Klasse nicht dabei waren und Jean-Pierre angeschmachtet haben. So wie sonst jeden Tag in der Schule. Er hat die ganze Zeit neben mir gesessen und so lecker nach Babypuder geduftet, dass ich fast ohnmächtig geworden wäre. (Jette fand den Geruch übrigens mal grausam! Damals stand sie total auf Jungs, die nach Tabak, Whiskey und Pferdesattel riechen.)

Etwas eher Unwichtiges:
Mami hat Omi Olga die Zimmerpflanze geschenkt und die hat sich riesig gefreut! Und sie hat aus dem Thunfisch eine superleckere Thunfisch-Nudelsoße gemacht.
So, jetzt noch eine SEHR, SEHR wichtige Angelegenheit zum Schluss:
So normal der s. Zahnspangenfranzose auf der einen Seite ist, so unnormal ist er auf der anderen Seite. Er verschwindet ständig in Lukas' Zimmer, um zu lernen, er sitzt schweigsam am Esstisch (geht er im Kopf seine Prüfungsthemen durch oder findet er uns plötzlich langweilig?) und manchmal schließt er sich richtig lange im Bad ein. Keine Ahnung, ob er da auch lernt. Jedenfalls ist er manchmal ganz schön rätselhaft und ich frage mich, ob ich vielleicht irgendwas falsch mache. Nur was?
Ob ich Jette mal um Rat frage?
Etwas später:
Ich habe Jette angerufen und sie hat mir geraten, bei Jean-Pierre zu klopfen und ihn einfach geradeheraus zu fragen. Ich hätte doch an unserem Zoff gesehen, dass es besser ist, sich gleich die Wahrheit zu sagen. Also guuut, dann gehe ich jetzt mal …

Mir ist kodderschlecht, als ich vor Lukas' verschlossener Zimmertür stehe, und meine Beine fühlen sich an wie Wackelpudding.
Tock, tock, tock, klopfe ich.
„*Oui, oui, oui?*", höre ich hinter der Tür.
Uff, mein Bruder scheint nicht da zu sein. Ich mache die Tür auf und taumele gleich wieder rückwärts. Mein Bruder und Jean-Pierre liegen nebeneinander auf dem Boden wie zwei Grillwürstchen auf dem Rost und stemmen Buchstapel. Was bitte schön soll das denn werden?
„Mann, Mia!", stöhnt mein Bruder genervt und guckt mich über Kopf an. „Kannst du uns nicht mal zwei Minuten in Ruhe lassen?"
Das war jetzt echt fies. Ich hab die beiden die ganze Zeit in Ruhe gelassen.
Jean-Pierre, dem der sportliche Einsatz peinlich zu sein scheint, springt auf. „*Allô*, Mia!"
„Hallo, hallo." Ich winke matt.
Mein Bruder hat natürlich nichts Besseres zu tun, als ebenfalls zu winken und eine alberne Fratze zu ziehen. Ganz toll. Ihm scheint irgendwie nicht klar zu sein, dass Jean-Pierre immer noch *mein* Franzose ist und nicht seiner.
Zum Glück guckt er im nächsten Moment auf die Uhr, dann springt er auf. „Ich muss sowieso zum Handballtraining. Tschau."

Er schnappt sich ein paar Sportsachen, die aussehen, als hätte er sie schon in einem seiner Vorleben getragen, dann ist er draußen. „Aber fass ja nix an, Mia!“, grölt er noch über den Flur.

„Ja, ich hab dich auch total lieb“, murmele ich.

Jean-Pierre, der das anscheinend nicht gehört hat, schichtet die Bücher sorgsam aufeinander.

„Was habt ihr da denn eben gemacht?“, frage ich.

„Fitness. Lü-ka findet, ich bin zu dünn.“

Was fällt meinem Bruder eigentlich ein? Jean-Pierre ist genau richtig! Richtiger geht es gar nicht. Aber natürlich sage ich das nicht so. Dann würde ich bloß rot werden.

„Was gibt's denn, Mia? Soll ich dir bei Französisch helfen?“

Ich schüttele den Kopf; mein Herz klopft wild. „Ich wollte dich nur mal was fragen.“

„Oui?“

„Ähm, ich weiß ja nicht, ob ich …“ Auweia, wieso kann ich keinen geraden Satz bilden?

Blink, blink, macht Jean-Pierres Zahnspange. Das sieht so niedlich aus, dass ich mir einen Ruck gebe und sage: „Ich wollte nur wissen, ob ich irgendwas falsch gemacht habe.“

„Wie meinst du das, du hast was falsch gemacht?“

Mit gesenktem Kopf gestehe ich: „Du bist seit dem Fischmarkt irgendwie … anders.“

„Wie anders?“
„Äh … einsilbig.“
Jean-Pierres Augenbrauen rutschen unter die Stirnlocken. Wahrscheinlich kennt er das Wort *einsilbig* gar nicht. Aber wie umschreibt man es, ohne dass es kompliziert wird? Jetzt wäre mein Deutschlehrer-Papi gefragt.
„Du redest so wenig mit mir“, sage ich. „Deswegen dachte ich …“
„Aber das ist doch nicht wegen dir! Und du hast auch nichts falsch gemacht.“
„Nein?“
„Mais non!“
„Ist es wegen dem Internat?“
Er hebt die Bücher auf und erklärt leise: „Maman und Papa haben mich angemeldet. In drei Wochen geht es los.“
„Aber das können sie doch nicht machen! Einfach über deinen Kopf hinweg.“
„Und ob sie das können. Siehst du doch.“ Jean-Pierre zieht einen Strichmännchen-Mund.
„Dann … dann bleib einfach hier!“
Hab ich das eben wirklich gesagt? Ich, Mia Hansen?
Natürlich kann Jean-Pierre nicht einfach so bei uns bleiben. Da würden seine Eltern uns schön was husten. Und meine Eltern mir wahrscheinlich auch.
Der süße Franzose grinst. Es ist nur ein klitzekleines

Grinsen, aber eindeutig ein Grinsen. Und dann sagt er: „Oh ja, das wäre *génial*!"
Einen Moment sehen wir uns an und irgendwas in mir macht *wusch und wumm*. Ach, du dicker Schmetterling! So ergeht es doch Jette immer, wenn eine Liebeswelle sie überrollt. Bevor ich noch ohnmächtig werde, setze ich mich schnell auf Lukas' Bett. Zum Glück ist das *wusch und wumm*-Gefühl auch gleich wieder vorbei.
Jean-Pierre kommt zu mir und legt den Bücherstapel neben mir ab. „Guck mal!"
Was soll ich gucken? Das sind Bücher. Französische Romane.
„Musst du die etwa alle für die Schule lesen?" Kein Wunder, dass seine Reisetasche so Goldbarren-schwer war.
„Non." Er pflanzt sich neben den Bücherstapel und streichelt das oben liegende Buch wie Leonie ihr Meerschweinchen.
„Die sind nicht für deine Nachprüfungen?"
Jean-Pierres Kopf wandert noch eine Etage tiefer, dann schüttelt er ihn.
„Aber wie willst du die denn schaffen?"
„Das ist mir doch egal. Ich darf ja sowieso nicht auf der Schule bleiben."
„Und im Internat musst du den Stoff nicht können?"

„Pfff", macht er, „da zählt doch nur, dass meine Eltern jedes Schuljahr einen dicken Scheck ausstellen."
So läuft das also. Wenn man bezahlt, darf man dort zur Schule gehen. Und wie viel man kann und lernt, ist offenbar völlig egal.
„Aber warum liest du dann die ganze Zeit diese dicken Romane?", frage ich. Statt mit mir durch den Park zu laufen oder Eis essen zu gehen, füge ich in Gedanken hinzu. Ein bisschen beleidigt bin ich deswegen schon.
„Weil ... Mia, wenn ich dir das jetzt erzähle, musst du mir was versprechen."
Ich nicke.
„Du darfst es niemandem sagen. Auch nicht deinen Freundinnen."
„Okay", murmele ich, wobei ich jetzt schon weiß, wie schwer mir das fallen wird. Vor allem, weil Jette und ich uns gegenseitig etwas versprochen haben. Nämlich, dass wir keine Geheimnisse mehr voreinander haben. Aber vielleicht muss ich in diesem Fall eine Ausnahme machen.
Jean-Pierre holt tief Luft. „Ich verrate dir jetzt was. Etwas, das nicht mal mein bester Freund Hector weiß."
Mein Herz fängt an, mega-giga-irre schnell zu klopfen. Oje, was kommt denn jetzt?
„Mia, ich will nicht Jura studieren. Und auch nicht Anwalt werden. Das will nur mein Vater."
„Und du?", frage ich.

„Ich? Äh … ich will“, er wird ein bisschen rot, „ich will Schriftsteller werden.“ Er guckt mich ängstlich an. So als hätte er gesagt, er wolle Henker oder staatlich geprüfter Tierquäler werden.
„Aber das ist doch toll!“, platzt es aus mir raus. Weil es wirklich toll ist. Richtig bombastisch toll sogar!
„Findest du?“
„Ja!“ Ich muss kichern. „Solange du dich nicht Heribert Dinkelstein nennst und über Nacktschnecken schreibst.“
Pierre lacht leise auf und schüttelt den Kopf. „Ganz bestimmt nicht! Ich mag am liebsten Krimis. Aber vielleicht nenne ich den Kommissar Heribert Dinkelstein.“
Wir gackern eine Runde zusammen, dann steckt Mami ihren Kopf zur Tür herein. „Kekse und Kakao gibt’s in der Küche, falls ihr mögt.“
Und ob wir mögen! In den fünfzehn Sekunden, die es dauert, um in die Küche rüberzugehen, ploppen etwa eine Million Schmetterlinge in meinem Magen auf. Obwohl Jean-Pierre und ich uns nicht küssen, obwohl wir nicht knutschen und uns am laufenden Meter anschmachten, ist es zwischen uns doch etwas ganz Besonderes. Wir sind Junge und Mädchen, aber auch irgendwie beste Freunde. Und das macht mich megagiga-irre glücklich.

Mulfriet

Am Abend sitzen wir um den Küchentisch und essen gut gelaunt Baguette, französischen Käse, Tomaten und Weintrauben. Wir, das sind unsere Familie, Diego und Jean-Pierre.

Es gibt nur zwei Meckerer: Lukas und Omi. Lukas, weil ihm etwas *Fleischiges* zu essen fehlt (dabei gibt es leckere Fleischtomaten), Omi, weil sie *sooo* gerne mal *Moule-frites* für Jean-Pierre zubereitet hätte.

„Das ist sehr nett von Ihnen, Madame Olga", antwortet Jean-Pierre höflich. Omi Olga behandelt er immer ein bisschen, als wäre sie eine Königin oder Adelige. Jedenfalls mit ziemlich viel Respekt.

„Was sind denn Mulfriet?", will Lena wissen. Dabei guckt sie mich an, als wäre ich eine französische Sterneköchin.

„Weiß ich doch nicht", sage ich.

„Das sind Muscheln", erklärt Omi, die wahrscheinlich mal vor Urzeiten von ihrem Gérard damit bekocht worden ist. „Auf Französisch heißen sie *moules*."

„Und *frites* sind Pommes“, ergänzt Papi, der hoffentlich keine französische Geliebte hatte.
Bäh, Muscheln mit Pommes! Gut, dass Mami Baguette und Käse eingekauft hat. Auch Jean-Pierre scheint es richtig gut zu schmecken. Jedenfalls haut er rein, als hätte er sieben Tage nichts zu essen bekommen. Zwischendurch plinkert und blitzt er mich immer wieder mit seinen vollmilchbraunen Augen an. Vielleicht wegen des Geheimnisses, das er mir anvertraut hat. Vielleicht sieht er mich mit seinen kurzsichtigen Augen aber auch nur unscharf und plinkert deswegen so.
„Auf dich, mein Junge!“ Omi Olga prostet Jean-Pierre gut gelaunt zu.
„Wieso denn auf mich?“, will dieser wissen.
„Weil …“ Omi Olga lacht schallend auf. „Du zauberst Mia immer so ein Strahlen ins Gesicht.“
Ach, du Hölle! Am liebsten würde ich mich auf der Stelle in eine *moule* am Strand von Frankreich verwandeln. Dann müsste ich jedenfalls nicht mit hochroten Ohren dasitzen und Lenas blödes Gegacker über mich ergehen lassen. Zu allem Überfluss grinst Mami auch noch wie vom Grinse-Virus befallen.
Nur Josefinchen, Papi, Diego und Lukas benehmen sich normal wie sonst auch. Josefinchen hält ja sowieso immer zu mir (zum Glück versteht sie noch nichts von Liebeskram), Papi und Diego sind eben taktvolle

Menschen und mein Bruder rafft wahrscheinlich sowieso wieder mal nichts.
„*Merci*“, bedankt sich Jean-Pierre höflich wie immer und ich wünschte, meine Leutchen würden von irgendwas anderem anfangen. Von mir aus auch vom Wetter, völlig egal. Doch niemand sagt einen Ton und auch mir fällt nichts ein. In meinem Hirn herrscht totale Leere. Erst ein paar Käsehappen später habe ich eine Eingebung.
„Papi, wann sollen wir eigentlich unsere Referate vortragen?“, frage ich.
„Freitag, mein Spatz.“
„Aber da ist doch die Lesenacht.“
„Ganz richtig. Die ersten beiden Unterrichtsstunden finden aber ganz normal statt. Danach geht ihr nach Hause und um sechs treffen wir uns alle wieder in der Schule.“
„Und du?“
Papi streicht sich über seinen Bart. „Ich kann zwischendurch leider nicht nach Hause.“
Das Gespräch versickert; erst beim Nachtisch – es gibt Apfelkuchen à la Mami – will Omi von Jean-Pierre wissen, was denn nun eigentlich mit dem Internat sei.
Ach, du dickes Ei! Muss sie ihn ausgerechnet jetzt daran erinnern?
Prompt lässt Jean-Pierre den Dessertlöffel sinken und

sagt mit kratziger Stimme: „Meine Eltern haben mich schon angemeldet."
Einen Moment lang herrscht Schweigen. Richtig entsetztes Schweigen.
„Können sie das denn einfach so machen?", fragt Omi, woraufhin Papi nur mit den Augen rollt.
Natürlich müsste auch Omi wissen, dass Eltern so einiges können. Schließlich war sie selbst mal eine Mami. Und zwar die von Papi.
„Du hast aber fiese Eltern", sagt Lena.
Josefinchen bestätigt dies mit einem Bäuerchen.
Jean-Pierre erwidert nichts. Er pickt bloß Kuchenkrümel vom Teller und seufzt ab und zu leise.
Mamis Blick geht zu Papi. „Und wenn wir seine Eltern mal anrufen?"
Doch Papi schüttelt entschieden den Kopf. „Andrea, wir haben kein Recht, uns da einzumischen."
„Das sehe ich aber anders!" Omi Olga klopft mit der flachen Hand auf den Tisch. „Der Junge leidet ja sichtlich. Und wenn das so ist, muss man sich sehr wohl einmischen." Im nächsten Augenblick ist sie schon aufgestanden. Ihre Augen funkeln. „Komm, Jean-Pierre, wir rufen jetzt bei dir zu Hause an."
„Äh, wie?", stammelt der.
„Tu das nicht, Olga", sagt Mami.
„Omi, das ist voll daneben!", kommt es von Lukas.
„Du kannst doch nicht mal Französisch!", von Papa.

Nur Josefinchen scheint die Idee super zu finden, jedenfalls hämmert sie begeistert mit einem Klötzchen auf den Tisch.

„Natürlich kann ich Französisch“, widerspricht Omi. „Ich war fast drei Monate mit Gérard zusammen. Und manchmal übe ich ein bisschen im Internet.“

Diego und Papi versuchen, Omi Olga noch zurückzuhalten, aber da ist sie bereits an der Tür. „Nun komm schon, mein Herzchen. Was hast du zu verlieren?“

Das Herzchen, das nichts zu verlieren hat, steht SEHR, SEHR langsam auf und folgt Omi SEHR, SEHR langsam auf den Flur.

„Sie macht es wirklich“, sage ich zu den anderen. Ich bin mir nicht ganz sicher, ob dies eine gute oder eine schlechte Idee ist.

Mami seufzt. „Du kennst doch deine Großmutter.“

Oh ja, ich kenne Omi Olga nur zu gut! Sie ist schrill, für jeden Spaß zu haben und fürchtet sich ganz bestimmt nicht vor französischen Eltern.

Wir sitzen alle etwas betreten herum, dann dringt auf einmal Omis muntere Stimme durch die offen stehende Tür. „*Bonjour!* Ich … ehm … *je suis la* Großmutter … *la grand-mère de Jean-Pierre.*“

Wie bitte? Seit wann ist Omi Olga Jean-Pierres Großmutter?

Omi redet immer weiter in diesem deutsch-französischen Kauderwelsch. Was ich raushöre, ist, dass Jean-

Pierre ja so *gentil* (= nett) ist. Ein richtiges Herzchen. Und dass man ihm *cheveaux voler* (= Pferde stehlen) kann.
Herrjemine! Das heißt doch auf Französisch garantiert ganz anders!
„Mia, was sagt sie? Was sagt sie?“, nervt Lena.
„Sei doch mal still!“
Ich deute mit den Händen an, dass ich ihr gleich den Hals umdrehe, wenn sie noch einen Mucks von sich gibt. Zum Glück hält sie daraufhin den Mund.
„Ich will nicht“, dringt es zu mir rüber, *„je ne veux pas* … dass Jean-Pierre so traurig … *triste* ist.“
Triste heißt traurig, das haben wir vor kurzem bei Frau Hübsch gelernt.
„Pardon, Mia!“ Jean-Pierre steht plötzlich im Türrahmen. Er sieht aus, als würde er gleich losflennen. „Sag deiner Omi, dass sie aufhören soll. Sie macht alles bloß noch schlimmer.“
Ich überlege nicht lange und flitze mit ihm aus der Küche.
Omi steht vorm Flurschrank, das Telefon in der Hand. Sie hat den Kopf in den Nacken gelegt und guckt die verstaubte Lampe an.
„Omi?“, sage ich mit megastrenger Stimme.
Omi Olga hebt die Hand. *„Un moment, mon papillon“*, spricht sie mich auf Französisch an. *Papillon* heißt *Schmetterling* auf Deutsch.

„Jean-Pierre will aber nicht, dass du …“
„Komm mal her, mein Junge“, fällt Omi mir ins Wort. „Deine Mutter möchte mit dir sprechen.“
Jean-Pierres Kopf wackelt auf und ab und aus seinem Katastrophengesicht wird ein echtes Weltuntergangsgesicht, als er ans Telefon geht.
„Oui?“, krächzt er, dann hört er mit offen stehendem Mund zu und nickt nur noch.
„Komm, mein Schmetterling“, flüstert Omi mir ins Ohr. „Lass Jean-Pierre mal in Ruhe mit seinen Eltern telefonieren.“
Sie zieht mich rüber in die Küche, wo uns alle gespannt entgegenblicken.
Nur Josefinchen patscht auf dem Tisch herum und brabbelt wie üblich ihr Baby-Chinesisch.
„Und?“, fragt Papi. „Was haben seine Eltern gesagt?“
„Alles Mögliche“, antwortet Omi ausweichend.
„Und was zum Beispiel?“, hakt Mami nach.
Omi Olga kratzt sich verlegen am Ohr. „Also, offen gestanden habe ich gar nicht so viel verstanden. Die beiden haben so schnell geredet. Nicht wie Gérard seinerzeit.“
„Oh no!“, stöhne ich. Wahrscheinlich hat Jean-Pierre Recht und Omi hat alles vermasselt.
„Mutter, vielleicht hättest du dich doch besser nicht einmischen sollen“, sagt Papi und greift nach einer Scheibe Baguette. Er, Lukas und Josefinchen sind so-

wieso die Einzigen, die noch was runterkriegen. Wir anderen sind viel zu hibbelig, um jetzt zu essen.
„Was macht Jean-Pierre denn bloß so lange?“ Lena zieht ein besorgtes Gesicht.
„Der ist bestimmt gleich fertig“, tröstet Mami sie. „Wir müssen uns einfach noch ein bisschen gedulden.“
Doch das ist gar nicht so einfach. Jean-Pierre telefoniert nämlich eine halbe Ewigkeit mit seinen Eltern! Ich fege in der Zeit Baguettekrümel mit den Händen zusammen, gucke nach, ob Jette gesimst hat, wische Josefinchen Brei aus den Mundwinkeln und hole noch eine Flasche Wasser aus dem Kühlschrank. Immer wieder dringen gedämpfte Wortfetzen zu uns rüber, aber anders als bei Omi verstehe ich kein einziges Wort.
Gefühlte Stunden später wird endlich die Tür aufgestoßen und unser Besuch steht in der Küche.
„Und?“
„Wie war's?“
„Erzähl schon!“
„Was ist nun?“, plappern wir alle durcheinander.
Jean-Pierre legt das Telefon auf den Tisch und starrt mich aus glasigen Augen an. Dann geht sein Blick zu Omi und er stottert: „*Merci*, Ma… Madame Olga.“
„*Merci?* Was haben deine Eltern denn gesagt?“
„Ich … ich muss nicht mehr aufs Internat, wenn ich nicht will. Ich darf an meiner Schule bleiben und die Klasse wiederholen.“

Omi schlägt die Hände vors Gesicht. „Das ist ja ein Ding!“

In meinem Hirn hakt etwas aus. Habe ich das eben richtig verstanden? Der Zahnspangenprinz muss nicht aufs Eliteinternat?

Jean-Pierre fängt an zu lachen. Erst leise, dann immer lauter, und während er einen richtigen Gackeranfall bekommt, springt Omi Olga auf und drückt ihn an ihren dicken Busen. Wahrscheinlich kriegt er jetzt keine Luft mehr, aber das ist egal. Hauptsache, das Leben fühlt sich für ihn wieder schön an.

Wir sitzen noch bis fast halb elf in der Küche, quasseln und feiern Jean-Pierres Erfolg mit Limo und Erdnussflips. Das heißt, eigentlich ist es ja Omi Olgas Erfolg. Denn hätte sie sich nicht so dreist eingemischt, müsste er aufs Internat und wäre bis zum Sankt-Nimmerleins-Tag unglücklich.

Doch jetzt ist alles gut. Das fühlt sich so mega-giga-irre an, dass ich immer wieder zu Jean-Pierre rübergucke und ihm (hoffentlich nicht allzu glimmerige) Blicke zuwerfe. Er guckt zurück und grinst und zum zweiten Mal an diesem Tag ploppen etwa eine Million Schmetterlinge in meinem Magen auf.

Weiße Maden im Lichtkreis der Entdecker

Und dann ist er da, der große Tag der Lesenacht. Die zwei Schulstunden am Vormittag gehen blitzschnell und ziemlich schön über die Bühne. Jean-Pierre hält für unsere Gruppe das Astrid-Lindgren-Referat und bekommt dafür jede Menge Applaus. Was besonders toll ist: Nicht nur Jean-Pierre kriegt die Note Eins, Mr Rülps, Alina und ich ebenfalls. (Danke, Papi!)

Aber auch die anderen Referate sind ziemlich spannend. Manche habe sich Schriftsteller aus früheren Jahrhunderten ausgesucht, manche welche aus der Jetztzeit, mit denen sie richtige E-Mails ausgetauscht haben. Streber-Christi kann sogar ein Autogramm von einem lebenden Autor vorweisen! (Wahnsinn!)

Danach fahren wir nach Hause, um uns auszuruhen. Doch das ist so gut wie unmöglich. Jean-Pierre und ich sind nämlich beide ziemlich hibbelig und kribbelig. Noch nie habe ich nachts in meiner Schule geschlafen und schon gar nicht mit meiner ganzen Klasse zusammen in einem Raum.

Während ich noch in meinen Büchern blättere (ich weiß immer noch nicht, woraus ich vorlesen soll, falls ich drankomme), sitzt Jean-Pierre in meinem Schaukelstuhl, liest einen Krimi und zupft an seinem Ringelshirt. Ich finde es megagemütlich mit ihm in meinem Zimmer. Schade, dass er sich so oft bei Lü-ka eingeigelt hat. Und noch mal schade, dass er schon so bald abreist. Sonst könnten wir noch öfter zusammen lesen und an unseren T-Shirts zupfen.
Jette geht wie jeden Freitag brav zum Ballett, aber ich schwänze heute den Unterricht. Erstens muss ich noch meine Überlebenstasche packen, zweitens will ich jede Sekunde mit meinem Besuch genießen (und ihn auch mal ein bisschen für mich haben).
Da Papi schon am Morgen die Isomatten und Schlafsäcke für Jean-Pierre und mich mitgenommen hat, tragen wir später nur unsere Taschen mit den Waschsachen zur Bushaltestelle. Leonie und Alina werden von Alinas Mutter gebracht und Jette kommt wegen der Ballettstunde sowieso ein paar Minuten später.
Im Bus malen Jean-Pierre und ich uns aus, wie es wohl sein wird, im Klassenzimmer zu übernachten. Ob einige von uns schnarchen oder im Schlaf reden, ob wir alle querbeet liegen oder ob die Mädchen auf der einen und die Jungs auf der anderen Seite untergebracht sind. Womöglich noch mit einem elektrischen Zaun dazwischen.

„Ich finde, jeder soll da liegen, wo er mag“, sagt Jean-Pierre und blitzt mich mit seinen Vollmilchaugen an. „Ich möchte nämlich ... *pardon* ... am liebsten neben dir schlafen.“
Ich kichere verlegen und weiß nicht, was ich denken und fühlen soll.
Das war das Netteste und Schönste, was mir je ein Junge gesagt hat! Natürlich möchte ich auch neben ihm liegen. *Peinlich* war gestern.

Knappe zwei Stunden später haben wir unser Schlaflager aufgebaut (juchuh, mein Schlafsack liegt zwischen Jette und Jean-Pierre!) und sitzen zusammen mit den Parallelklassen in der Cafeteria bei einem leckeren Abendbrot. Diesmal war ich nicht schnell genug und muss nun mit ansehen, wie zwei blonde Mädchen, deren Namen ich nicht mal kenne, Jean-Pierre umgarnen, als wollten sie ihn bald heiraten.
„Jetzt guck nicht so grimmig“, sagt Jette mir leise ins Ohr. „Nach dem Essen sind wir die Gänse ja wieder los.“
Das stimmt. Wenn wir hier fertig sind, putzen sich alle auf dem Schulklo die Zähne und machen sich bettfertig, danach geht jeder in seine Klasse, wo dann die eigentliche Lesenacht stattfindet.

„Was tuschelt ihr denn?“, will Leonie wissen. Schon die ganze Zeit zieht sie total angestrengt den Bauch ein.

„Jette hat über die beiden Blondies da gelästert.“ Alina deutet mit dem Kopf in die entsprechende Richtung.

„Ätzend“, sagt Leonie und ihr Bauch ploppt wieder raus. Ich finde ja, sie sieht auch mit ihrer kleinen Bauchrolle supersüß aus. „Die machen sich richtig an Jean-Pierre ran.“

Ich will das Elend gar nicht so genau mitkriegen und frage am Tisch herum, wer aus welchem Buch vorlesen will. Leonie hat sich für einen Hundekrimi entschieden, Alina für ein Fußballbuch (ich bin baff, kein Liebesbuch?), Jette für ein Mädchenbuch und Streber-Christi für ein Streber-Buch (ein Gedicht von Schiller!). Ich hoffe ja stark, dass Papi mich nicht drannimmt. Aber falls doch, lese ich aus seinem Lieblingsbuch von früher: *Das fliegende Klassenzimmer* von Erich Kästner.

Nach dem Abendbrot stürmen alle wie auf ein geheimes Zeichen in die Toilettenräume. Im Bruchteil einer Sekunde bricht vor den Waschbecken das totale Gedrängel und Geschubse aus.

Alina, Jette, Leonie und mir ist das echt zu blöd. Wir schlüpfen in aller Ruhe in unsere Schlafsachen (ich habe meine Sporthose und ein Schmetterlings-T-Shirt

mitgenommen); sollen sich die anderen von mir aus blaue Flecken holen.
Ich bin gespannt, ob Streber-Christi wieder wie auf unserer Klassenfahrt ihr Bärchennachthemd anzieht – und tatsächlich. Etwas beschämt blickt Christi sich um sich, als ein Mädchen nach dem anderen in seine Trainingshose steigt.
„Äh, Mia?“ Sie sieht mich aus ihren teichgrünen Augen an.
„Ja, Chrischti?“ Ich habe gerade meine Zahnbürste im Mund und kann daher nur nuscheln.
„Ist das blöd, was ich anhabe?“
„Ein bisschen schon“, antworte ich ehrlich. „Du musst ja so durch die ganze Schule laufen.“
„Mist! Ich hab gedacht ...“
Keine Ahnung, was sie gedacht hat. Sie spricht nämlich nicht weiter.
„Und wenn du einfach deine Jeans anlässt?“, frage ich.
„Die ist zu eng, um darin zu schlafen.“
Ich würde Christi ja gerne helfen, aber leider habe ich nur die eine Sporthose dabei.
„Egal, dann gehst du eben im Bärchennachthemd. Kriegt wahrscheinlich eh keiner mit.“ Tröstend lege ich meinen Arm um ihre Schulter.
Doch prompt setzt ein Lachkonzert ein, als wir in die Klasse kommen.
„Boah, Bärchen!“, ruft Henning.

„Bärchen-Christi!“, gackert Lars.
Mr Rülps macht schon den Mund auf, wohl um auch etwas Gemeines zu sagen, aber Alina funkelt ihn so böse an, dass sein Mund sofort wieder zuklappt.
Christi verschwindet blitzschnell in ihrem Schlafsack. Ich wette, sie wird sich von dort nicht mehr wegbewegen.
Dann kommen auch schon Papi und Frau Hübsch herein – die beiden sind heute Abend die für uns zuständigen Lehrkräfte – und verteilen Taschenlampen. Während Frau Hübsch einen hübschen blauen Jogginganzug trägt, ist Papi zum Glück noch ganz normal in Jeans und Hemd.
„Was sollen wir denn mit den Taschenlampen?“, will Meike wissen.
„Lesen, wenn's dunkel ist“, meint Sofia. „Was denn sonst?“
Ein paar Leutchen kichern.
„Richtig“, sagt Papi. „Wenn später das große Deckenlicht ausgemacht wird, darf jeder von euch noch für sich lesen. Ihr könnt auch gerne eure mitgebrachten Bücher untereinander tauschen.“
„Geht's denn jetzt mal los?“ Mr Rülps schnippt aufgeregt mit den Fingern.
„Ja, Kaspar. Magst du gleich anfangen?“
Mr Rülps nickt und endlich wird es still in der Klasse.
„Was für ein Buch hast du uns mitgebracht?“

„Küssen kann schon mal passieren."
Wie aufs Stichwort geht das Gewieher wieder los. Ich gackere auch ein bisschen, doch als ich Alinas unglücklichen Blick auffange, reiße ich mich sofort am Riemen. Bestimmt hat sich Mr Rülps eins von Alinas Liebesbüchern geborgt, um sie damit zu beeindrucken. Dabei hat er wohl nicht bedacht, dass der Schuss nach hinten losgehen kann.
Papi bittet per Handzeichen um Ruhe. „Ich finde es sehr mutig von Kaspar, dass er sich dieses Buch ausgesucht hat. Bitte, Kaspar. Fang an."
Und dann geschieht ein echtes Vorlesewunder. Mr Rülps liest einen Textabschnitt, in dem sich zwei Jugendliche küssen. Erst denke ich noch, oje, wie peinlich, doch dann bin ich wie verzaubert. Ausgerechnet Kaspar, der sonst gar nichts mit Büchern am Hut hat, betont an den richtigen Stellen und spricht das Mädchen so gekonnt mit verstellter Stimme, dass am Ende alle klatschen. Sogar Papi und Frau Hübsch. Alina hat ganz rosige Wangen bekommen und sie lächelt Mr Rülps selig an. Bestimmt ist sie mächtig stolz auf ihren Freund und das wäre ich an ihrer Stelle auch.
Danach liest Alina aus einem Fußballbuch, was besonders die Jungs begeistert. Es folgt Christi mit ihrem Schillergedicht (ein paar Leutchen stöhnen), Henning mit einem Ausschnitt aus einem Fantasy-

Buch (da stöhne ich innerlich), dann meldet sich Jean-Pierre.
Papi nickt ihm zu. „Wir sind gespannt, was du dabeihast."
Jean-Pierre hält das Buch hoch und will gerade etwas sagen, als Frau Hübsch mit glänzenden Augen ruft: „Ah, *Le petit Prince*! Mein Lieblingsbuch! Liest du auf Deutsch oder auf Französisch?"
„Französisch?"
Frau Hübsch lächelt. „Kein Problem. Ich werde übersetzen."
Alle bisherigen Vorleser sind in oder auf ihren Schlafsäcken geblieben. Nur Jean-Pierre steht auf und erklärt, dass das Buch *Le petit Prince* – auf Deutsch heißt es *Der kleine Prinz* – Antoine de Saint-Exupéry geschrieben hat. Es handelt von einem Prinzen, der seinen Planeten verlässt, um auf anderen Planeten Freunde zu suchen. Dabei landet er auch auf der Erde und trifft dort in der Wüste den Autor des Buches. Dem erzählt er von seinen Erfahrungen, die er auf der Reise gemacht hat.
Jean-Pierre schlägt das Buch auf und legt los. Ich verstehe zwar kaum ein Wort, aber die Sätze klingen so wunderschön, dass mir eine Gänsehaut über den Rücken kriecht. Auch meine Mitschüler lauschen gebannt und irgendwie vergisst Frau Hübsch dann zu übersetzen. Das macht aber gar nichts.

Jean-Pierre kommt zum Ende und alle klatschen. Ein paar Schüler trampeln sogar mit den Füßen auf dem Boden.
Frau Hübsch entschuldigt sich peinlich berührt, dass sie den Text nun gar nicht übersetzt habe, erklärt dann aber, dass sie den besonderen Moment nicht habe zerstören wollen. Unsere Lehrerin hat Recht: Der Moment war wirklich besonders – und anscheinend nicht nur für mich.
Aber weil das heute keine Französischstunde, sondern eine Lesenacht mit deutschen Texten ist, machen wir mit dem Vorlesen weiter. Es melden sich noch so viele andere aus meiner Klasse, dass ich zum Glück verschont bleibe. Genau wie Irina mag ich nicht so gerne vorlesen und schon gar nicht vor Papi und dem prinzenhaft süßen Zahnspangenfranzosen.

Es ist bereits halb zehn, als das Licht gelöscht wird und wir uns alle mit unseren Büchern und Taschenlampen hinlegen. Trotzdem wird noch ewig lang gekichert, geraschelt und getuschelt. Erst nach einer halben Ewigkeit kehrt Ruhe ein.
Papi hat – uff! – keinen Schlafanzug, sondern einen Trainingsanzug angezogen. Er und Frau Hübsch liegen gleich neben der Eingangstür. Dort können sie

wahrscheinlich am besten Wachhund spielen. Zum Glück bin ich so weit genug von Papi weg, um mich nicht beobachtet zu fühlen, aber auch dicht genug an ihm dran, falls irgendetwas sein sollte (ein Papi-Sehnsuchtsanfall oder so).

Ich habe mir Jean-Pierres Prinzenbuch ausgeliehen und schaue mir gerade die hübschen Zeichnungen an, als jemand zu wimmern anfängt. Jean-Pierre, Jette und ich heben gleichzeitig die Köpfe. Keine Ahnung, wo die Geräusche herkamen.

Wieder ertönt das Gewimmer, dann höre ich Papi sagen: „Ja, Henning, was ist los?"

Ein Schlafsack knistert im Dunkeln, im nächsten Moment steht Henning wie eine Wachsfigur im Raum. Im Schein der Taschenlampe, die ihn streift, sieht er aschfahl aus.

„Ist dir etwa schlecht, Henning?", erkundigt sich Frau Hübsch besorgt.

„Nein, ich, äh …" Er trappelt mit den nackten Füßen auf der Stelle. „Kann ich nach Hause?"

„Wie bitte? Du willst nach Hause?" Papi ist jetzt auch aus seinem Schlafsack gekrochen.

„Aber warum denn, Henning?", fragt wieder Frau Hübsch.

„Ja, ich hab … äh … ich hab …" Und dann kommt es megakläglich aus seinem Mund: „Heimweh!"

Ein paar aus unserer Klasse glucksen los und auch

ich muss mich schwer beherrschen, um nicht loszuwiehern. Henning, der sonst immer auf dicke Hose macht, hat Heimweh?
„Ist es wirklich so schlimm?“, fragt Papi.
Henning nickt.
„Also gut, dann rufe ich jetzt deine Eltern an“, sagt Papi wohlwollend. Ich wäre an seiner Stelle bestimmt tierisch genervt.
Das Deckenlicht geht an. Henning stopft hektisch seine Sachen in den Rucksack, rollt seinen Schlafsack auf, klemmt ihn sich unter und huscht geduckt aus der Klasse. Papi begleitet ihn.
„Der Arme!“, sagt Jean-Pierre.
„Was für ein Waschlappen!“, tönt Jette.
Leider muss ich ihr in dem Punkt Recht geben.
Wieder dauert es eine ganze Weile, bis sich alle beruhigt haben. Die Zeiger meiner Uhr stehen inzwischen auf elf. Ich bin wirklich hundemüde und kuschele mich in meinen Schlafsack. Nach und nach löschen auch die anderen ihre Leselichter.
„Nacht, Mia!“, höre ich leise von Jette.
„Nacht, Jette.“
„Nacht, Mia!“ Das war Jean-Pierre. Im nächsten Moment beugt er sich zu mir rüber und drückt mir blitzschnell drei französische Küsschen auf die Wangen. Ich bin so baff, dass ich gar nicht auf französische Art zurückschmatzen kann. Und noch Minuten später –

wahrscheinlich ist Jean-Pierre längst eingeschlafen – hämmert mein Herz wie verrückt. Das waren die ersten Jungs-Küsschen in meinem Leben! Sie haben sich mega-giga-irre galaktisch angefühlt. Und ich nehme mir vor, mir erst wieder im nächsten Leben das Gesicht zu waschen.

Ich kann nicht schlafen … ich kann nicht schlafen … ich kann nicht schlafen! Was daran liegt, dass es a) total stickig im Klassenraum ist, b) ein paar Leutchen wie Hölle schnarchen (ich tippe auf Lars und Mr Rülps), c) irgendjemand im Schlaf wimmert (das klingt nach Irina), d) ein anderer pupst (ich will gar nicht wissen, wer), e) die Schlafsäcke wie Hölle knistern und mir f) jemand seinen nackten Fuß ins Gesicht steckt.

„Ihh!“, kreische ich.

„Ich bin’s nur.“ Das war Sofias Stimme.

„Was taperst du denn hier rum?“, flüstere ich. „Leg dich gefälligst wieder hin!“

„Ihr weißen Maden im Lichtkreis der Entdecker“, murmelt sie mit unheimlich klingender Stimme, „kommt zurück!“

„Wie bitte?“

„Kommt zurück! Ins Reich der Jämmerlinge!“

Ach, du dicker Schmetterling! Schlafwandelt Sofia etwa und redet dabei?
„Die weißen Maden! Sie sollen zurückkommen!"
„Sofia, leg dich wieder hin", sage ich leise. Nicht, dass noch Papi oder Frau Hübsch aufwachen. „Die weißen Maden sind schon längst im Reich der Jämmerlinge."
„Dann ist ja gut." Sofia klingt irgendwie ganz normal, als sie das sagt. Schon huscht sie zu ihrem Schlafsack und legt sich wieder hin.
Ich fasse es nicht! Nie im Leben hätte ich gedacht, dass eine einzige Nacht mit meinen Klassenkameraden so anstrengend sein kann. Zum Glück liegt Jean-Pierre neben mir und das macht einiges wett. Ich drehe mich auf die Seite, so dass ich die Umrisse seines Schlafsacks in der Dunkelheit erkennen kann und Minuten später, vielleicht sind es auch nur ein paar Sekunden, bin ich endlich eingeschlafen.

Liebes Tagebuch,

die Lesenacht war SO TOLL!
1. Ich glaube, ich habe gerade mal vier Stunden geschlafen.
2. Am nächsten Morgen ist mir die Triefnase im karierten Schlafanzug über den Weg gelaufen (kicher!).

Ich glaube, er war der einzige Lehrer, der einen peinlichen Schlafanzug angezogen hat.
3. Ich fand es richtig nett, dass gleich morgens um sieben ein paar Eltern mit Brötchen, Aufschnitt und Käse vorbeigekommen sind. (Mami konnte wegen Josefinchen und Lena nicht.) Dann haben wir alle total gemütlich gefrühstückt und uns mit den Parallelklassen ausgetauscht. (Bei denen hat einer die ganze Klasse und die Tür vollgespuckt und musste danach abgeholt werden. Uahh!)
4. Äh … mein Gesicht habe ich dann doch gewaschen. Eben habe ich in meinem schönen kuscheligen Bett noch ein paar Stunden Schlaf nachgeholt. Gleich stehe ich mal auf und gucke, was Jean-Pierre so treibt.
Eine Weltuntergangs-Nachricht zum Schluss:
Jean-Pierre reist übermorgen wieder ab. Wie soll ich das nur überleben?

Swarschön

Wie schnell kann ein Tag rumgehen?
In Zeitlupe. Langsam. Etwas flotter. Schnell. Zacki, zacki. Megaschnell. Mega-giga-irre lichtgeschwindigkeitsschnell.
So in etwa fliegt der letzte Tag mit meinem Franzosen-Besuch vorbei. Was wir alles machen:
1. Nach dem Frühstück trödeln wir mit Jette, Alina und Leonie über die Osterstraße. Jean-Pierre gibt eine Runde Croissants beim Bäcker aus und wir tun, als wäre es ein ganz normaler Samstag.
2. Danach gibt es bei uns zu Hause Mittagessen (Jette, Alina und Leonie sind auch mit dabei) und wir tun, als wäre es ein ganz normales Mittagessen (Spaghetti mit Tomatensoße).
3. Am Nachmittag laden wir Jean-Pierre endlich zu der versprochenen Hafenrundfahrt ein (diesmal ohne meine Freundinnen).
4. Gegen 19 Uhr essen wir das letzte Mal zusammen Abendbrot. Omi Olga und Diego sind mit von der Par-

tie und Omi hat wieder mal ihre leckere *Mousse au chocolat* gemacht. Es ist eine schnieftodtraurige Abschiedsmousse.
5. In der Nacht treffe ich Jean-Pierre ein letztes Mal in der Küche (okay, nicht ganz zufällig, ich habe ihm aufgelauert). Wir üben ein bisschen Französisch und futtern dabei in Rekordgeschwindigkeit den Kühlschrank leer (wohl, weil wir beide so megatraurig sind).

Dann ist Sonntag und nach einem Husch-husch-Frühstück, bei dem ich nicht mal einen Bissen runterbekomme, müssen wir auch schon los. Ehrlich, es gibt nichts Schlimmeres, als einen süßen Zahnspangenfranzosen zum Bahnhof zu bringen, nachdem man zwei Wochen lang quasi Tag und Nacht mit ihm zusammen war.
Der eine Teil der Familie quetscht sich in Diegos Taxi (unter anderem Jean-Pierre und ich), der andere Teil in Papis Wagen. Los geht's. Ein letztes Mal spüre ich Jean-Pierres warmen Arm an meinem, ich rieche seinen Babypudergeruch und genieße seinen schmeichelnden französischen Akzent. Obwohl er so gesehen nicht viel sagt. Nur „Äh, mich juckt's am Fuß". Und „*Pardon*, du hast da einen Fussel". Dabei lächelt er

mich an, als hätte er mir eine Liebeserklärung gemacht.
Jette, Leonie und Alina warten schon am Bahnsteig. Sie haben mir versprochen, dass wir gleich nach Jean-Pierres Abreise zu mir fahren und außer der Reihe einen Quasselsabbelnachmittag einschieben. Damit der Abschied nicht so schrecklich wehtut. Das ist megalieb von ihnen. Ich würde es nicht aushalten, allein in meinem Zimmer zu hocken.
„So, Jean-Pierre", sagt Omi Olga und drückt ihn an ihren dicken Busen. „Es war sehr, sehr schön mit dir. Und wenn du wieder mal Ärger mit deinen Eltern hat, ruf mich einfach an, hörst du?"
Jean-Pierre nickt und bedankt sich noch mal bei Omi, dann verabschiedet er sich von Diego, von meinen Eltern und von meinen Geschwistern. Irgendwie kriege ich kaum mit, wer was macht und wer was sagt. Weil ich nämlich die ganze Zeit gegen einen dicken Kloß im Hals ankämpfe. Wahrscheinlich wird er gleich, wenn ich mit Tschüss-Sagen dran bin, explodieren.
„*Au revoir*, Jette." Jean-Pierre haucht ihr drei kleine Küsschen links und rechts auf die Wangen.
Alina und Leonie bekommen ebenfalls drei Küsschen (Alina piepst dabei etwas und Leonie zieht ihren Bauch ein), dann bin ich endlich an der Reihe.
„Mia", sagt Jean-Pierre feierlich.
Es rauscht und der blöde, blöde Zug fährt schon ein.
„Ja?"

„Wir schreiben uns doch, oder?"
„Natürlich schreiben wir uns!"
Wusch rauscht der Zug an uns vorbei.
„Swarschön!"
„Aber richtig schön." Das klang ein bisschen gekrächzt.
„Und vielleicht kommst du ja mal zu mir nach Frankreich?"
Zu mir nach Frankreich, zu mir nach Frankreich, zu mir nach Frankreich ..., rattert eine Stimme in meinem Kopf.
„Ja, vielleicht." Das war jetzt richtig schlimm gekrächzt.
„Mia, ihr müsst euch langsam verabschieden", sagt Papi. „Sonst fährt der Zug noch ohne ihn ab."
„*Au revoir*, Mia."
„*Au revoir*, Jean-Pierre."
Der süße Zahnspangenfranzose beugt sich vor – auch ich bekomme drei kleine Küsschen –, da breitet er auf einmal seine Arme aus und drückt mich an sich. Sonst umarmt mich nur Omi Olga so und ich denke, bin ich eigentlich komplett wischi-waschi im Kopf, dass ich in dieser Sekunde ausgerechnet an Omi denke? Denn natürlich fühlt sich die Franzosen-Umarmung total anders an. Jean-Pierre ist größer als sie, er hat dünnere Schultern, kein dicker Busen ist im Weg und plötzlich kitzeln lauter kleine Fische meine Füße.
Wie mega-giga-irre ist das denn!, denke ich noch, da

zerrt irgendjemand an meiner Schulter und Jean-Pierre zuckt zurück.
„Du solltest jetzt einsteigen“, mahnt Papi und hievt das bücherschwere Gepäck in den Zug.
„*Merci! Au revoir.*“ Jean-Pierre hebt die Hand, dann steigt er ein. Als allerletzter von allen Reisenden. Nur noch ein Zipfel von seinem Ringelshirt ist zu sehen, schon schließen sich die Türen und der Zug setzt sich langsam in Bewegung.
„*Au revoir*“, murmele ich, und während der Zug langsam aus dem Bahnhof gleitet, kullert mir eine Träne über die Wange.

Gefühlte Lichtjahre später sitzen Jette, Alina, Leonie und ich bei Apfelkuchen, heißer Schokolade und Kerzen in meinem Zimmer. Ich habe noch ein paar mehr Tränchen als die eine vergossen (ja, ich gebe es zu!), aber jetzt fühle ich mich wieder halbwegs normal. Soweit man sich ohne den süßen Zahnspangenfranzosen überhaupt normal fühlen kann.
Lena hat vorhin auch ganz traurig aus der Wäsche geguckt und ist erst mal zu ihrer Freundin abgezwitschert, Josefinchen hat wie am Spieß geschrien, als wir in die menschenleere Wohnung gekommen sind, und Lukas ist wie ein Zinnsoldat mit Düsenantrieb

in seinem Zimmer verschwunden. Ich wette, selbst er wird Jean-Pierre ganz schön vermissen. Zum Glück erinnert mich wenigstens mein *Mia-Jean*-Bild daran, dass mein Herzensfreund die letzten vierzehn Tage bei uns zu Besuch war.
Jette gießt uns allen heiße Schokolade nach, und weil sie plötzlich kichern muss, verschüttet sie ein klein wenig auf meinen blau-weiß gestreiften Läufer.
„Geht's noch, Jette?", blaffe ich sie an. „Was ist denn los?"
„Nichts. Du sahst vorhin am Bahnhof nur so aus, als hätten kleine Fische deine Füße gekitzelt."
Erwischt! Stumm lade ich mir noch ein Stück Kuchen auf den Teller.
„Stimmt das, Mia?", bohrt Alina und auch Leonie sieht mich mit Röntgenblick an.
„Klar stimmt das." Jette ruckelt ihre Megaschlau-Brille zurecht. „Sieht man doch."
„Na und? Und wennschon!"
„Dann bist du verliebt!", trompetet sie.
Vielleicht bin ich das, vielleicht auch nicht, aber es ist doch sowieso egal.
Der Junge, den ich so schrecklich gernhabe, ist weg. Und das tut erst mal höllisch weh.
Jette will wohl wieder etwas sagen, aber Leonie legt ihr die Hand auf den Arm. „Ich bin auch verliebt", erklärt sie.

„Häh?“, macht Jette. „Hab ich was verpasst?“
Leonies Bauchrolle ploppt raus, als sie fortfährt: „Nein, hast du nicht. Ich bin in Wursti verliebt und in mein Meerschweinchen. Man muss doch nicht immer nur in Menschen verliebt sein.“
Da hat sie auch wieder Recht. Leonie ist richtig vernarrt in ihre Tiere. Und wenn mich nicht alles täuscht, ist das eine ehrliche, kaum zu übertreffende Liebe.
Alina, die Liebesexpertin in unserer Runde, nickt. „Stimmt. Und selbst wenn man in Menschen verliebt ist, muss sich das ja nicht immer nur auf Jungs beziehen.“
Etwas Apfelkuchen bröckelt auf Jettes Schoß. Während sie die Krümel von ihrer roten Hose klaubt, fragt sie: „Aber du bist doch schon noch in Kaspar verknallt, oder?“
„Ja! Aber ich liebe auch meine Mutter und meine Cousine Maja und das Baby … Eben alle aus meiner Familie.“
Das kann ich hundertprozentig unterschreiben. Ich liebe Mami, Papi, meine Geschwister und Omi Olga. Ein Leben ohne sie könnte ich mir überhaupt nicht vorstellen.
Auch Leonie bestätigt dies, nur Jette gesteht, dass sie ihren Vater manchmal etwas weniger lieb hat als ihre Mutter.
„Wieso das denn?“, will Leonie wissen.

„Weil er sich manchmal mehr für die Zeitung interessiert als für mich.“

Das ist bitter. Da habe ich es mit meinem Papi sehr viel besser getroffen.

„Aber wisst ihr was?“ Sie grinst und schleudert ihre Traumhaare hin und her. „Am schönsten ist sowieso das *Gefühl*, in jemanden verliebt zu sein. Dazu braucht man gar nicht immer einen Jungen.“

Uff. Na, Gott sei Dank. Auch Jette hat es kapiert!

Und dann sagt sie etwas, das so schön ist, dass ich fast heulen muss. Nämlich, dass sie uns, ihre besten Freundinnen, sowieso am meisten lieb haben würde. Weil die nämlich immer für sie da wären und ihr auch verzeihen würden, wenn sie mal Mist, sogar richtig schlimmen Mist, gebaut hat. Dabei geht ihr Blick zu mir und ihre himmelblauen Augen glänzen.

Und in dieser Sekunde weiß ich, dass Jette und mich nichts und niemand je auseinanderbringen wird. Weil sie meine beste, wirklich ALLERbeste Freundin ist. Und weil das noch viel mehr wert ist als jede Zahnspangenfranzosen-Freundschaft auf dieser Welt.

Leseprobe

Das nächste Mia-Abenteuer erscheint im Frühjahr 2017. Darin geht es um die Liebe, um das Heiraten und um einen verschwundenen Hund. Hier könnt ihr schon mal reinlesen:

Es gibt Tage, die sind wie Omi Olgas Fantasiekekse. Knusprig und zuckersüß. Man geht mit den besten Freundinnen samt Hündchen im Park spazieren, der Himmel ist pudrig blau, Sonnenstrahlen kitzeln einem die Nase und man denkt: Hach, könnte es doch immer so sein!

Doch noch während man so vor sich hin träumt, kommt die beste, wirklich allerbeste Freundin von hinten angelaufen, krallt sich wie ein Gorillamännchen an einem fest und trompetet einem ins Ohr: „Leo! Le-o! LE-OOOO!"

„Ja, ich weiß, dass du Leo süß findest", sage ich und schubse Jette sanft von mir. Langsam kann ich es nicht mehr hören. Und Alina, Leonie und deren Hund Wursti bestimmt auch nicht. Seit wir im Park am Weiher spazieren gehen, hat Jette den Namen mindestens dreißig Mal vor sich hin getrötet. Als hätte sie nicht mehr alle Gehirnzellen beisammen. (Was bei ihr immer so ist, wenn sie unter einem akuten Verliebtheitsanfall leidet.)

Leo ist mitten im Schuljahr zu uns gekommen und der totale Nullachtfünfzehn-Typ. Also kein Grund, derart auszuflippen. Er ist normal groß (so wie ich), hat normale braune Mischmaschhaare (so wie ich) und ist normal angezogen (so wie ich). Unnormal an ihm sind nur seine riesigen Füße und dass er vom Planeten der Schweiger

stammt. Seit er in unserer Klasse ist, nämlich seit einer Woche, hat er gerade mal vier Wörter gesagt. „Hallo. Ich. Bin. Leo."
Wahrscheinlich würde sich der Neue bestens mit meinem großen Bruder verstehen. Der spricht auch nie mehr als nötig.
„Leo! LEO!", trötet Jette wieder, woraufhin Leonie schon genervt die Augen verdreht.
„Hast du einen Wackelkontakt im Sprachzentrum?" Sie läuft ein bisschen schneller, weil Wursti so an ihr zerrt. Alle paar Sekunden erschnüffelt er etwas total Interessantes, dessen Spur er dann gründlich verfolgen muss.
„Häh?", macht Jette und schleudert ihre blonden Glanzhaare zurück. „Kann man denn nicht mal mehr ein bisschen schwärmen?"
Das Problem an Jette ist, dass sie ziemlich häufig für irgendjemanden schwärmt. Manchmal sogar so schlimm, dass sie nur noch in Gedichtsprache daherredet.
„Was findest du eigentlich so toll an ihm?", will Alina wissen. „Er redet doch nicht mal mit uns."
„Das ist es ja gerade. Er ist einer der geheimnisvollsten Menschen, denen ich je begegnet bin."
Leonie gackert los. „Stimmt. Heute in der Pause hat er ein total geheimnisvolles Brot mit Stinkekäse gegessen."
„Vielleicht war der Stinkekäse ja gar kein Stinkekäse, sondern seine geheimnisvolle Stinkesocke", setze ich noch eins drauf.
„Ihh!", kreischt Alina. „Wie eklig ist das denn!"
„Ihr seid ja so blöd", mault Jette. „Schlimmer als die hinterletzten Babys."
„War doch nur Spaß." Ich lege meinen Arm um sie. „Wenn es das Schicksal will, kommst du sowieso mit Leo zusammen."

Jette bleibt abrupt stehen und ihre Augen sehen hinter den Brillengläsern riesengroß aus.
„Echt? Meinst du wirklich?"
„Ja, meine ich. Aber bis dahin verschone uns bitte mit deinem Leo-Getue. Davon kriegt man ja Kopfschmerzen."
Leonie, die das Glück oder Pech hat, neben Leo zu sitzen, findet das auch. Und selbst Alina, die Liebesexpertin von uns dreien, nickt.
Eine Weile traben wir stumm nebeneinanderher. Wursti schnüffelt, Alina schaut in den Sommerhimmel, ich lausche dem Vogelgezwitscher und Jette … keine Ahnung, ich glaube, sie denkt nach. Jedenfalls zieht sie die Stirn kraus und blickt ins Nirgendwo.
Nach einer Weile räuspert sie sich und sagt: „Habt ihr euch vielleicht mal überlegt, warum Leo nie einen Ton sagt?"
Wir schütteln die Köpfe.
„Weil er sich bei uns unwohl fühlt. Deswegen."
„Selbst schuld, wenn man immer nur in der Ecke rumsteht und aufs Handy glotzt", wirft Alina ein.
„Aber wenn er nun mal so schüchtern ist?" Jettes Schultern rutschen rauf und wieder runter.
„Zu schüchtern, um den Kopf zu heben, wenn Kaspar ihn anspricht?", entgegnet Alina. „Nee, Jette."
„Vielleicht hat Kaspar ihn eben nicht richtig angesprochen. Also, richtig nett, meine ich."
„Lass mich raten", schalte ich mich wieder ein. „Und jetzt willst du ihn nett ansprechen. Also, richtig nett. Damit er endlich ein bisschen auftaut."
„Genau." Ein zuckriges Schaumkuss-Grinsen erhellt Jettes Gesicht. „Miss Butterfly, du bist immer so schlau und psychologisch!"

Mein Reden. Nur hat sich das leider noch nicht weltweit herumgesprochen.

„Könnt ihr auch mal über was anderes quatschen als über diesen Mister Geheimnisvoll?“ Typisch für Leonie. Jungs sind für sie entweder Brüder oder Wesen, die zufällig auch noch unsere Erde bevölkern. Kein Grund, sie auf ein Podest zu heben oder sich sogar in sie zu verlieben. „Es gibt doch auch noch andere Themen“, fährt sie fort. „Flüchtlinge, Plastikmüll in den Meeren, Tierversuche …“

„Wuff!“, macht Wursti wie aufs Stichwort und zerrt an der Leine. Dann fängt er an zu bellen.

„Hausaufgaben und Schmalzkringel“, ergänzt Jette, als Wursti eine kleine Bell-Pause einlegt.

„Sehr witzig.“ Leonie schaut an sich herab und knetet an sich herum. „Ich weiß auch, dass ich eine Bauchrolle habe.“

„Aber eine supersüße Bauchrolle“, erkläre ich.

Das ist kein bisschen gelogen. Ich mag Leonies Moppelbäuchlein. Es wäre komisch, wenn sie dort plötzlich schulheftplatt wäre. So wie wir anderen.

Sie ist noch dabei, ihren Bauch zu begutachten, als es passiert: Wursti führt einen irren Brummkreiseltanz auf, dann reißt er sich los und zischt ab wie eine Rakete. Im nächsten Moment ist er im Gebüsch verschwunden.

„Wursti! Komm sofort zurück!“

Leonie ist kreideweiß und krallt sich an meinem Arm fest, während sie immer weiter seinen Namen ruft. Aber nichts passiert.

„Wursti! WURS-TI! WUUUURRSSTII!“, brüllen Alina, Leonie und ich im Chor.

MIX
Papier aus verantwortungsvollen Quellen
FSC® C014496
FSC www.fsc.org

In Zusammenarbeit mit der Michael Meller Literary Agency, München
Umschlagillustration und Vorsatz: Dagmar Henze
Typografie Umschlag: Gerhard Schröder
Lektorat: Susanne Schürmann
Herstellung: Constanze Hinz
Satz: Pinkuin Satz und Datentechnik, Berlin
Lithografie: Margit Dittes Media, Hamburg
Druck und Bindung: GGP Media GmbH, Pößneck
ISBN 978-3-551-65059-7
Printed in Germany

Alina, Leonie und Jette

sind meine besten Freundinnen.

Mia

Das bin ich: Miss Butterfly!

Ballettschuhe

sind auch was für Jungs!

Mein Papa

wird mir gerade mal zu viel.